Os 100 Segredos das PESSOAS DE SUCESSO

Astrid Bandeira Santos
Novembro/05

David Niven, Ph.D.

Os 100 Segredos das PESSOAS DE SUCESSO

Descobertas simples e úteis dos estudos sobre como ser bem-sucedido

6ª Edição

SEXTANTE

preparo de originais
Regina da Veiga Pereira
Virginie Leite

tradução
Fabiane Sant'Ana de Farias
Regina da Veiga Pereira

revisão
Antonio dos Prazeres
Sérgio Bellinello Soares

capa
Raul Fernandes

diagramação e projeto gráfico
Valéria Facchini de Mendonça

fotolitos
Mergulhar Serviços Editoriais Ltda.

impressão e acabamento
Yangraf e Editora Ltda.

Miolo impresso em Chamois Bulk Dunas 90g /m^2

CIP-BRASIL. CATALOGAÇÃO-NA-FONTE
SINDICATO NACIONAL DOS EDITORES DE LIVROS, RJ.

N653c Niven, David, Ph.D.
Os 100 segredos das pessoas de sucesso : descobertas simples e úteis dos estudos sobre como ser bem-sucedido / David Niven ; tradução de Fabiane Sant'Ana de Farias e Regina da Veiga Pereira – Rio de Janeiro : Sextante, 2002

Tradução de: The 100 simple secrets of successful people
ISBN 85-7542-034-8

1. Sucesso – Aspectos psicológicos. 2. Conduta I. Título.

01-1596. CDD 158
CDU 159.947

Rua Voluntários da Pátria, 45 – Gr. 1404 – Botafogo
22270-000 – Rio de Janeiro – RJ
Tel.: (21) 2286-9944 – Fax: (21) 2286-9244
Central de Atendimento: 0800-22-6306
E-mail: atendimento@esextante.com.br
www.esextante.com.br

Sumário

Introdução

Durante o tempo em que me dediquei ao trabalho de pesquisa e organização deste livro, pensei muitas vezes em um professor da época de faculdade que me marcou profundamente. O professor Brian Lang dava um seminário uma vez por semana para alunos de diversas áreas que estavam se formando. Minha turma, por exemplo, tinha 20 alunos de 19 cursos diferentes. O objetivo do seminário era nos preparar para as monografias que teríamos de produzir ao longo do ano seguinte.

Para nossa surpresa, o curso não tratava de nenhuma das matérias que estávamos pesquisando para as monografias. No entanto, ele foi fundamental para que cada um fizesse seu trabalho da melhor forma possível. O professor Lang nos ensinou a alcançar um objetivo, definindo-o e delineando as etapas e os instrumentos necessários para atingi-lo. Apesar de cada aluno estar indo numa direção diferente, o professor nos mostrou o que era fundamental para que não perdêssemos o rumo e conseguíssemos chegar aonde queríamos.

O curso era sobre persistência, compromisso e a forma de enfrentar os desafios inesperados que podem surgir ao longo do caminho. "Nenhum resultado, nenhuma descoberta é acidental", afirmava o professor Lang. "São produtos do esforço investido no processo."

Continuamos a nos encontrar enquanto pesquisávamos e escrevíamos nossas monografias. Durante as aulas, ele sempre perguntava como ia o trabalho, o que havia despertado nosso interesse e quais as barreiras encontradas. Falávamos entusiasmados sobre nossas idéias ou sobre os livros que estávamos lendo.

Um estudante, porém, nunca tinha nada para contar sobre seu progresso. Por mais que o professor Lang insistisse, ele repetia que não encontrara tempo para trabalhar no projeto. O rosto do professor estampava seu total desapontamento.

Um dia, diante da resistência de Brian Lang, o estudante rebateu, desafiante: "Não se preocupe, eu tenho o trabalho todo na cabeça."

"Isto é um fenômeno", exclamou o mestre. "Você já consultou um médico para dar uma olhada na sua cabeça?"

Passado o momento de tensão, a turma toda caiu na gargalhada.

Mas o professor Lang não achou graça. Para ele, não tentar era intolerável. As monografias nos ofereciam a chance de não apenas aprender muito sobre o assunto escolhido, mas de aprender sobre nós mesmos – sobre a nossa capacidade de nos comprometer com uma tarefa difícil e de lidar com as descobertas, os contratempos e o resultado, quer ele fosse positivo ou negativo. Para o professor, o conteúdo das nossas monografias era menos importante do que o empenho com que nos dedicávamos a fazer um bom projeto. Se fôssemos capazes disso, ele garantia, teríamos adquirido uma habilidade que nos valeria pelo resto da vida. E seríamos bem-sucedidos.

Enquanto examinava centenas de estudos sobre pessoas de sucesso para escrever este livro, lembrei-me várias vezes das lições do querido mestre. Assim como ele, vários cientistas afirmam que, independente do objetivo que se tenha, há elementos comuns – práticas, princípios e crenças – absolutamente necessários para se ter sucesso. É importante frisar que, ao falar de sucesso, não estou me referindo à fama ou à riqueza. Sucesso, para mim, é atingir aquilo que se deseja.

☺ ☺ ☺

Os 100 Segredos das Pessoas de Sucesso apresenta as conclusões dos cientistas que estudaram diferentes formas de alcançar o sucesso em todos os aspectos da vida. Cada capítulo apresenta uma dessas conclusões, acompanhada de um exemplo real e de um conselho básico que você deve seguir se verdadeiramente quer se tornar uma pessoa feliz e realizada.

1

Competência começa com se sentir competente

Você é bom naquilo que faz? Submete-se a testes periódicos ou a alguma outra forma de avaliação do seu desempenho? Deve existir uma maneira objetiva de saber se você realiza bem sua função e, portanto, se deve se considerar uma pessoa de sucesso.

Constatou-se que as pessoas que não se consideram boas no que fazem – que não se acham capazes de ter sucesso ou de conquistar cargos de liderança – continuam com essa visão negativa mesmo que se tornem bem-sucedidas. Sua insegurança e suas próprias dúvidas fazem com que se sintam fracassadas.

Não espere pela próxima avaliação para melhorar o julgamento sobre você, porque sentimentos não se baseiam em fatos – e só as pessoas que se sentem competentes podem de fato ter o desempenho que as levará ao sucesso.

☺ ☺ ☺

Ross, um dançarino de Springfield, sempre sonhou em dançar na Broadway. Seu caminho para o sucesso começou com produções amadoras, em que ele competia por uma vaga dançando na frente de todos os outros candidatos. De início, Ross se sentiu inibido: "Tive muito medo. Senti como se fosse uma criança sendo sabatinada na frente dos colegas."

Mas ele persistiu, algumas vezes com sucesso, outras, não. À medida que foi tentando diferentes papéis em várias produções, adquiriu muita experiência. "O fato de ter representado muitas vezes em frente de tantas pessoas foi aumentando a confiança na minha capacidade." Ross se alegrava a cada conquista, por menor que fosse.

Quando se candidatou pela primeira vez para um roteiro profissional, Ross sabia do que era capaz, e com isso conquistou uma ponta num musical de sucesso. Dançou como se fosse o astro principal, dando tudo de si, e este foi o primeiro passo numa carreira bem-sucedida.

Ross tem uma explicação para o seu sucesso imediato, conseguindo o papel: "Eu sentia confiança, pois tinha me empenhado e sabia do que era capaz. Se quiser alguma coisa, você terá que realmente acreditar que pode conseguir. Você tem de fazer acontecer. Não é de graça, é preciso esforço, persistência e autoconfiança."

☺ ☺ ☺

Para a maioria das pessoas, o primeiro passo para melhorar o desempenho no trabalho não tem nada a ver com o trabalho em si, mas sim em como elas se sentem em relação a si mesmas. Na verdade, para oito entre dez pessoas, a auto-imagem conta mais para medir seu desempenho profissional do que o próprio desempenho profissional.

Gribble, 2000

2

A questão não é o quanto você se empenha

Dê duro e será recompensado. Parece simples.

Mas você se lembra daquele teste na escola? Algumas crianças estudaram o ano inteiro e não se deram bem. Outras estudaram pouco e tiraram notas excelentes.

O que isso quer dizer? Significa que você pode se dedicar muito, de maneira ineficiente, e não ter sucesso, ou pode se dedicar menos, com eficiência, e ser recompensado.

O objetivo do que você faz é progredir, não apenas se esforçar.

☺ ☺ ☺

A confeitaria Achenbach, uma empresa familiar que tinha muitos clientes fiéis, foi lucrativa por mais de quatro décadas.

Nos anos 90, os donos decidiram expandir – oferecer sanduíches e mercadorias variadas, abrir outras lojas e vender tanto no atacado quanto no varejo.

Os sócios passaram a ter um ritmo e uma carga de trabalho que nunca tinham experimentado na época da confeitaria. Mas, apesar de seus esforços, o lucro diminuiu consideravelmente e os donos quase foram à falência, por não conseguirem quitar as dívidas adquiridas durante a expansão.

Earl Hess, um executivo aposentado, forneceu capital para salvar a companhia e depois comprou-a. Ao examinar objetivamente o negócio, ele descobriu que a empresa estava sendo gerenciada por um grupo de pessoas esforçadas, mas ineficientes. "Havia um excesso de produtos sendo comercializados, mas 90% das vendas vinham de 10% deles. Os sócios perdiam dinheiro com os produtos que não tinham saída."

Segundo Hess, quando ele comprou a companhia, sabia que "os donos poderiam, em vez de trabalhar tanto, ter trabalhado com mais inteligência".

☺ ☺ ☺

As pessoas têm a tendência de achar que, se houver um esforço considerável, o objetivo será alcançado. No entanto, o esforço é um dos fatores menos significativos na obtenção do sucesso. Isto não significa que o esforço não seja necessário. Mas, se for ineficiente, leva rapidamente ao desânimo, pois faz as pessoas pensarem que nunca serão bem-sucedidas, mesmo que se empenhem ao máximo.

Schernerk, 1998

3

Criatividade não tem preço

Todo mundo quer pensar em algo novo – resolver um problema que ninguém conseguiu resolver, ter uma idéia genial e inédita. E as empresas querem que seus empregados sejam criativos e tenham grandes idéias para aumentar ainda mais seus ganhos.

Podemos imaginar, então, que, se uma empresa estimular seus funcionários, oferecendo um bônus para quem tiver idéias criativas, uma enxurrada de projetos originais e maravilhosos surgirá do nada.

Mas não é isso o que acontece, porque a criatividade não pode ser comprada nem vendida, não é fruto de trabalho árduo nem de esforço. Criatividade requer inspiração genuína. Ela surge quando ficamos profundamente intrigados por uma questão, uma situação, uma possibilidade.

A criatividade não é despertada por dinheiro ou recompensa. Ela nasce com o nosso interesse, quando concentramos nossa atenção em alguma coisa que realmente nos intriga ou motiva.

☺ ☺ ☺

A Japan Railways East ganhou a concorrência para construir o trem-bala entre Tóquio e Nagano, que deveria ficar pronto antes das Olimpíadas de Inverno de 1998.

Infelizmente, os túneis construídos pela empresa nas montanhas estavam vazando água. A companhia enviou uma equipe de engenheiros, muito bem paga, para encontrar uma solução.

Os engenheiros analisaram os problemas e desenharam um conjunto de planos complexos e dispendiosos.

Um simples operário da empresa desconfiou da solução proposta e pôs-se a pensar numa alternativa. Um dia, com sede, ele tomou um gole da água que escorria pelas paredes do túnel. O sabor era espetacular, melhor do que o da água mineral servida no almoço.

A idéia cresceu em sua cabeça e, poucos dias depois, ele procurou seu chefe, sugerindo que engarrafassem a água e a vendessem como água mineral *premium*.

A partir daí nasceu a água engarrafada Oshimizu, que é vendida em máquinas nas plataformas da ferrovia e entregue nas casas.

Uma grande despesa foi transformada em lucro, apenas porque alguém olhou a situação de uma maneira diferente.

☺ ☺ ☺

Experiências em que se ofereceu dinheiro em troca de soluções criativas para resolver problemas levaram à conclusão de que as recompensas financeiras não aumentam a capacidade das pessoas de ter idéias originais. Na verdade, a criatividade é mais o produto de um interesse genuíno pelo problema, de uma mente atenta e inspirada, e da crença de que a criatividade será pessoalmente apreciada pelos superiores.

Cooper, Clasen, Silva-Jalonen e Butler, 1999

4

Valorize as pequenas vitórias

Perseguir seus objetivos é como montar um quebra-cabeça. É preciso trabalhar pedaço por pedaço para atingir o resultado final.

Por isso, não basta valorizar o resultado. Como você vai passar a maior parte do seu tempo na construção do que deseja, é preciso gostar daquilo que faz e valorizar cada conquista para conseguir alcançar seu objetivo final.

Tenha prazer com o processo e use os pequenos avanços para alimentar seu esforço contínuo.

☺ ☺ ☺

Louis Minella foi muito bem-sucedido em sua carreira como diretor de marketing de uma cadeia de lojas de departamentos. Ele sabia tudo sobre como chamar a atenção dos clientes e usar o layout da loja para aumentar as vendas.

Depois de quarenta anos no negócio, ele se aposentou. E, como se sentia cheio de energia, procurou alguma coisa que gostasse de fazer.

Como era muito habilidoso manualmente, Louis decidiu abrir um serviço de pequenos consertos especializados. Foi uma grande adaptação: "Costumava ser apenas um membro de uma equipe em uma organização internacional, mas agora sou um pequeno artesão responsável por tudo."

Colocar a mão na massa foi uma mudança significativa. "Antes lidava com grupos de gerentes. Mandava relatórios e ordens e dizia às pessoas o que elas deveriam fazer. Vivo no mundo real, agora."

Ele adora as dificuldades que enfrenta no dia-a-dia, como consertar o relógio de uma cliente idosa, deixando-a feliz, estancar o vazamento do tinteiro de uma máquina de postagem ou descobrir a maneira mais eficiente de desmontar e remontar um aspirador de pó.

"É uma delícia lidar diretamente com os clientes e enfrentar o desafio que cada trabalho oferece."

☺ ☺ ☺

Ter satisfação na vida é 22% mais provável para aqueles que apreciam pequenas conquistas do que para os que se satisfazem apenas com grandes sucessos.

Orlick, 1998

5

Você não pode se forçar a gostar de matemática

Cada profissão requer um talento específico. Não há razão nenhuma para trabalhar em comunicação se você não é uma pessoa extrovertida, que adora interagir com outras. E se você não se considera uma pessoa criativa, é melhor escolher um trabalho mais burocrático. O importante é encontrar o emprego em que você tenha mais chances de se sair bem e de ter satisfação.

Não escolhemos as tendências e características com que nascemos, mas precisamos conhecê-las para nos adequarmos ao que melhor nos convém. Só assim trabalharemos felizes e seremos bem-sucedidos. Caso contrário, acumularemos frustrações e fracassos.

Enquanto algumas pessoas ficam petrificadas diante de uma platéia, outras têm uma enorme facilidade para falar em público e ainda se sentem felizes com a experiência. Isso não é uma qualidade nem um defeito. É um traço de personalidade. Algumas pessoas podem passar a maior parte da vida debruçadas sobre equações matemáticas, ou fascinadas com o que vêem ao microscópio, e há outras que se realizam num palco, num setor de vendas ou numa sala de aula.

Descubra como você é – a sua verdadeira personalidade – e encontre a melhor forma possível de exercer seu talento.

☺ ☺ ☺

Marina foi uma criança que os pais consideravam "problemática". Fechada, extremamente tímida, teve desde cedo dificuldade com os estudos. Repetiu várias vezes de ano e concluiu, a duras penas, o ensino médio. Os pais se preocupavam com seu futuro, sem conseguir imaginar uma profissão em que ela pudesse se realizar.

Marina tinha, porém, duas características notáveis: um sorriso cativante e um extraordinário senso de organização, que contrastava com a bagunça armada pelos irmãos.

Um dia, uma amiga pediu a Marina que a ajudasse a fazer a mudança de sua casa para um apartamento. Marina teve um desempenho tão bom nessa tarefa que logo foi requisitada por outra amiga, que, por sua vez, a indicou para outra conhecida. Foi o começo de uma carreira brilhante. Marina montou uma firma, profissionalizou seu talento, e atualmente sua agenda é tão cheia que ela chega a recusar trabalho. Ela adora o que faz e seu sorriso e discrição facilitam o contato com os clientes.

☺ ☺ ☺

Mesmo quando as pessoas passam por diferentes fases em suas vidas, incluindo mudanças na carreira e na família, depois dos 16 anos de idade, suas personalidades se mantêm constantes.

Barto, 1998

6

Encontre o seu próprio caminho

Observe os carros que saem da linha de produção e você verá que todos do mesmo modelo têm as mesmas funções e capacidades. É para isso que eles são projetados, é assim que são produzidos. Nós os compramos com a expectativa de que cada um irá desempenhar a mesma função e que as diferenças individuais entre eles são insignificantes ou não existem.

Mas as pessoas não são o resultado de uma linha de produção. Mesmo quando nascem na mesma hora e no mesmo lugar, mesmo quando são gêmeos idênticos, com a mesma educação e criação, as diferenças estão presentes.

Antes de tentar viver as experiências de outras pessoas ou reproduzir o sucesso alheio, pergunte a si mesmo se é para isso que você nasceu.

☺ ☺ ☺

Edward Burkhardt sempre quis trabalhar numa ferrovia. Seu primeiro emprego, quando adolescente, foi na manutenção dos trilhos. Mais tarde, trabalhou como guarda-freios, bilheteiro e ajudante de maquinista. Quando acabou a faculdade, empregou-se no escritório da Wabash Railroad. Seus colegas de curso diziam que ele estava maluco – pessoas não se formam em engenharia para trabalhar em ferrovias e, além do mais, a indústria como um todo estava morrendo.

Depois de vinte anos no negócio, Edward juntou um grupo

para comprar uma ferrovia regional. Compraram as linhas da Wisconsin Central e começaram a vender ações em 1991. Mesmo com várias companhias ferroviárias em maus lençóis, a Wisconsin Central continuou a dar lucro e viu suas ações crescerem quinze vezes ao longo da década. Apesar de a indústria ferroviária pertencer ao Velho Mundo, um de seus maiores investidores é o fundador da Microsoft, Bill Gates.

Para Edward, o sucesso na ferrovia tem sido uma grande realização. "Nunca tenha medo de perseguir os seus sonhos. Com prudência e sabedoria, você irá longe naquilo em que trabalha com gosto."

☺ ☺ ☺

Entre as pessoas que acreditam ter fracassado na busca por sucesso em suas vidas, 64% dizem que seguiram um caminho estabelecido por outros, contrariando sua tendência natural.

Arnold, 1995

7

Você ainda tem muito tempo para "chegar lá"

Vivemos pressionados pelo tempo. No dia-a-dia, corremos para cumprir nossas tarefas dentro de prazos rígidos e apertados. Temos pressa, principalmente, de "chegar lá". Vemos na televisão e lemos nos jornais casos de jovens que se tornaram famosos aos 20 anos ou ganharam seu primeiro milhão antes dos 30. A expectativa da família, dos amigos e da sociedade nos deixa ansiosos para saber quando finalmente estaremos no topo e por que ainda não chegamos lá.

Mas não existe idade certa para alcançar o sucesso. Pode ser aos 20, 40, 60 ou 80 anos. Não é possível estipular um tempo para chegar aonde se deseja. Acontecerá quando tiver que acontecer. Lembre-se sempre: caso você se baseie num padrão ou num modelo determinado, correrá o risco de não usufruir aquilo que pode conquistar.

☺ ☺ ☺

"As pessoas se dividem em duas categorias: as bem-sucedidas e aquelas que não têm a menor importância. Eu adorava fazer esse comentário irônico, mas o pior é que eu me considerava um fracassado do segundo grupo", admite Nathan, de 40 anos, funcionário de uma agência de propaganda. "Eu me sentia humilhado por ainda não ter chegado aonde queria. Tinha vergonha do meu trabalho e mentia quando algum amigo perguntava o que eu fazia. Via o tempo passando e sofria ao pensar que nunca faria nada de significativo na vida."

Nathan procurou a ajuda de uma consultora de carreiras que perguntou com quem ele estava competindo e por quê. "Quando eu disse que estava competindo com todos os funcionários, pois queria ter sucesso na companhia, ela disse: 'Bem, se você estivesse na direção da agência, passaria a competir com todas as outras empresas de propaganda para ser melhor que elas.' A consultora me fez ver que não existe uma forma de vencer essa competição e que eu poderia aproveitar a caminhada ou continuar correndo atrás de um objetivo inatingível."

Desde então, Nathan passou a encarar a vida de outro ângulo. "Agora eu me preocupo em fazer meu trabalho da melhor maneira possível. Não fico mais contando os dias para ocupar uma cadeira no comitê executivo. Sem tanta pressão, me tornei mais criativo e produtivo. Sei que estou construindo o meu caminho para o sucesso. Chegarei lá quando tiver que chegar."

☺ ☺ ☺

O desempenho e o grau de envolvimento com o trabalho não estão relacionados com a idade do trabalhador.

Tuuli e Karisalmi, 1999

8

O sucesso não se limita a uma única conquista

Quando pensamos em alcançar o sucesso, sempre pensamos em atingir um objetivo específico: seja conseguir um novo cliente, ser promovido ou ganhar um aumento. Temos a tendência de achar que, com apenas mais uma conquista, nos sentiremos bem-sucedidos.

Mas a sensação de sucesso com uma única conquista é fugaz.

As pessoas não mudam de opinião sobre si mesmas por causa de uma conquista. É a seqüência de pequenas vitórias e o avanço progressivo que criam uma auto-imagem positiva e uma satisfação íntima.

Quando você consegue um novo cliente, é promovido ou ganha um aumento, a alegria é momentânea. E, logo, será substituída pela mesma insegurança que fez com que você pensasse que precisava desesperadamente de mais uma conquista para sentir-se confiante e bem-sucedido.

A sensação de sucesso vem com o seu esforço, sua crença, sua experiência, sua trajetória de vida. Não se mede o sucesso apenas pelo papel de presente e sim pelo pacote inteiro.

☺ ☺ ☺

Eles não viajam em jatos particulares ou limusines. Não têm técnicos contratados para montar seu equipamento. Eles não fazem exigências absurdas, como um camarim luxuoso, pilhas de toalhas e caixas de champanhe francês.

Os membros da banda Rustic Overtones são felizes por tocar seu rock alternativo em bares americanos. E quando terminam um espetáculo, eles mesmos colocam todo o equipamento no furgão.

A banda faz duzentos e cinqüenta shows por ano, já teve sua música tocada em mais de duzentas rádios e vendeu trinta e quatro mil cópias de seus CDs.

Mas a banda não tem contrato com uma grande gravadora, e boa parte do faturamento dos shows é usada para custear as viagens.

Será que eles se consideram músicos de sucesso? Tony Mcnaboe fala em nome do grupo: "Se não curtir cada minuto no palco, você está no negócio errado. Nós tocamos para o público, tocamos para nós mesmos, por puro prazer. Somos capazes de parar numa rua e tocar para as pessoas que estão passando. É claro que valorizamos o que ganhamos com o nosso trabalho, mas amamos fazer música, independente de ter um grande contrato e de estar ou não com a bilheteria de nossos shows esgotada."

☺ ☺ ☺

Uma única conquista pode ter enorme importância em um período curto de tempo, mas pesquisadores descobriram que o conceito mais profundo que as pessoas têm delas mesmas – a visão de quem são ou do que são capazes – não está relacionado a nenhum acontecimento positivo ou negativo. Na verdade, o conceito é composto pela combinação de crenças e intuições baseadas em experiências sucessivas que vêm de longo tempo. Uma criança cujas pequenas conquistas são pouco valorizadas por uma família excessivamente exigente levará consigo esta marca e terá mais dificuldade de se achar uma pessoa bem-sucedida.

Black, 1999

9

Enfrente os conflitos de cabeça erguida

É impossível viver sem conflito. Pessoas são diferentes umas das outras, têm histórias diferentes, hábitos, valores, temperamentos diferentes. Em qualquer lugar onde existe convivência e objetivos comuns, sobretudo na família e no trabalho, os conflitos são inevitáveis.

O problema é que as pessoas tendem a encarar os conflitos negativamente, como se fossem situações indesejáveis. Por isso, muitas vezes, negam a existência dos conflitos e fingem ignorá-los. É claro que um conflito que degenera em briga ou guerra só é destrutivo. Mas o conflito bem administrado, com sinceridade, honestidade e real desejo de achar uma solução conciliatória, contribui para o crescimento das pessoas e para a harmonia e a felicidade.

Reflita sobre os conflitos da sua vida profissional e pessoal, pois só assim você será capaz de fazer com que a situação melhore.

☺ ☺ ☺

"São casados há cinqüenta anos e nunca discutiram." Por incrível que pareça, existe quem acredite nessa possibilidade. Ou bem um dos dois – mais provavelmente a mulher – engoliu suas queixas sem reagir, ou se submeteu cegamente à vontade do outro. Em nenhum dos dois casos há respeito e crescimento.

A Aliança pelo Casamento, Família e Educação dos Casais ensina que o caminho mais certo para o ressentimento, a tensão e o desgaste da relação é a completa ausência de discordância. Não ter discordância significa que você não está dizendo o que pensa e sente, e que as emoções irão ferver dentro de você até transbordarem de forma descontrolada.

Uma das lições principais da Aliança é que em qualquer relacionamento existem "dez diferenças irreconciliáveis". Segundo Diane Solle, diretora da Aliança, "o problema da maioria das pessoas é que elas não reconhecem que as diferenças são inevitáveis e devem ser discutidas. Em vez disso, buscam refúgio em outro relacionamento. É claro que os novos relacionamentos terão outras dez diferenças irreconciliáveis e o padrão irá se repetir indefinidamente".

Relações saudáveis e amorosas são bem-sucedidas não por falta de discordâncias, mas porque as pessoas envolvidas têm desejo de acertar e se dispõem honestamente a resolver os problemas. Isto serve para a empresa e para a família. "Em vez de fazer uma queda-de-braço, querendo provar quem está certo e quem está errado, a ênfase deve ser no que se deve fazer para encontrar a melhor solução para todos os envolvidos", diz Diane.

☺ ☺ ☺

Casais em que tanto o homem quanto a mulher trabalham expressavam 56% mais satisfação com seu casamento quando não evitavam lidar com conflitos e discordâncias gerados por seus horários de trabalho.

Howell, 1999

10

Mudar é possível, mas não é fácil

Os comerciais de TV repetem o tempo todo que podemos mudar. Do jeito que falam, parece fácil. Em trinta segundos, os atores ficam mais inteligentes, magros, bonitos e ricos. Mas acreditar neste mundo de fantasia nos levará inevitavelmente ao fracasso.

Quando ouvimos falar que outras pessoas conseguiram fazer mudanças maravilhosas em suas vidas, queremos conseguir os mesmos resultados. Até porque nem paramos para pensar no esforço ou nas dificuldades que elas enfrentaram para realizar seus desejos. Só pensamos nos ganhos. Por isso, quando tentamos, mas não alcançamos nossos objetivos com rapidez, acabamos nos sentindo pior do que antes de começar.

A questão é que a mudança é sempre possível, mas não vem imediatamente. Podem ter certeza: levam-se anos para conquistar as vitórias mais importantes.

Quando você entrou no colégio, não esperava aprender uma segunda língua, álgebra, a história da Primeira Guerra Mundial, tudo na primeira semana. Você começou uma educação que iria durar mais de uma década e acabaria lhe proporcionando uma mudança positiva incrível.

As mudanças positivas na sua vida não vão acabar hoje, mas podem começar hoje.

☺ ☺ ☺

O trabalho de Charlie é sobre mudanças. Ele é contratado para facilitar a transição quando uma empresa compra outra. Por isso ele é um especialista quando o assunto é mudança.

As companhias têm culturas bastante enraizadas – maneiras de fazer as coisas, a forma de relacionar-se com os empregados – que não são fáceis de mudar. Algumas vezes, é essa cultura que impede a empresa de progredir e, em outras situações, culturas diferentes tornam impossível a fusão de dois negócios.

O que Charlie faz é estudar as culturas das empresas que querem se fundir. "Por mais que esteja claro que a mudança é indispensável, é preciso fazer essa adaptação aos poucos. Uma mudança drástica pode causar uma reviravolta na empresa e acabar destruindo sua cultura, em vez de modificá-la pontualmente.

"Mudanças saudáveis, tanto para empresa quanto para os funcionários, são fruto de um processo demorado", afirma Charlie, baseado em sua longa experiência.

☺ ☺ ☺

A decisão de mudar provoca uma sensação maravilhosa de controle e otimismo. Mas esses sentimentos têm vida curta se as mudanças não ocorrerem de fato. Os esforços repetidos para mudar e a falta de consciência do tempo necessário para atingir os objetivos geram frustração e reduzem a satisfação com a vida em até 40%.

Polivy e Herman, 2000

11

Beneficie-se da contribuição de pessoas diferentes

Existem planejadores e executores, pessoas com visão macro e pessoas detalhistas. Algumas têm capacidade de liderança, outras são peritas em organização. Há os especialistas em números, tabelas e projeções, enquanto outros são excelentes relações públicas. Por isso, você se beneficia quando envolve no seu projeto pessoas com personalidades e perspectivas diferentes das suas.

☺ ☺ ☺

Dr. Howard Murad, um cirurgião plástico de Los Angeles, desempenhava todas as funções em sua clínica. À medida que a clientela foi crescendo e sua experiência aumentando, ele reforçou sua convicção de que os pacientes que queriam fazer plástica estavam em busca de beleza e saúde. Resolveu então convidar um esteticista e uma nutricionista para trabalhar com ele. Depois, sentindo que a clínica tinha adquirido uma dimensão que escapava ao seu controle, contratou um gerente administrativo para se ocupar das finanças e dos recursos humanos.

Muitas vezes ele percebia que o trabalho do esteticista atenderia melhor às expectativas da cliente do que a cirurgia plástica, e a encaminhava ao outro profissional. Chegava a mandar pacientes para um psicoterapeuta de sua confiança quando sentia que a demanda por uma plástica encobria uma carência ou um problema mais profundo.

Vinte anos depois de ter unido saúde com estética e nutrição, a clínica do Dr. Murad fatura cerca de seis milhões de dólares por ano. Mas ele faz questão de afirmar que nada disso seria possível se, para evitar a competição, ele tivesse deixado de associar-se a outros profissionais de grande competência em suas respectivas especialidades.

☺ ☺ ☺

Um ambiente de trabalho composto por pessoas com diferentes personalidades e características é 14% mais produtivo do que com indivíduos mais semelhantes.

Fischer, Macrosson e Wong, 1998

12

Lembre-se de quem você é e onde está

Uma grande organização, por definição, deve pedir aos seus funcionários que deixem de lado seus interesses individuais e trabalhem como um time. Nessas organizações há pouco espaço para certos aspectos de sua vida que você considera fundamentais, como as crenças religiosas ou as tradições culturais.

Essa exigência se deve à necessidade de evitar conflitos no local de trabalho, o que desviaria a atenção dos funcionários do foco principal, prejudicando seu desempenho e o interesse da empresa.

Por outro lado, manter uma certa discrição no trabalho sobre seu estilo de vida, crenças e opiniões não significa abrir mão deles na sua vida pessoal. Se tiver de desistir de seus valores, você não pode se considerar bem-sucedido. É indispensável manter sua individualidade para ser uma pessoa realizada e feliz.

☺ ☺ ☺

Bobby Richardson jogou no time de beisebol do New York Yankees nas décadas de 1950 e 1960. Extremamente religioso, Bobby tinha vergonha de descrever seu ambiente de trabalho para a família.

Ele sabia que não podia fazer pregações religiosas no vestiário ou no banco dos reservas, mas tinha necessidade de manter sua fé viva. Por isso, ele ajudou a fundar o Baseball Chapel, um grupo de jogadores que se encontrava fora do campo e longe da luz dos holofotes para compartilhar suas crenças e religiosidade.

"É absolutamente necessário fazer alguma coisa para não ser engolido pela filosofia dos grandes clubes, senão você nunca mais será a mesma pessoa. Mas, ao mesmo tempo, você não pode impor as suas crenças e costumes aos outros. O Baseball Chapel permitiu que eu fosse um membro da equipe em campo e quem eu realmente sou fora dele", explica Bobby.

☺ ☺ ☺

As pessoas que investem tanto na vida profissional quanto pessoal, respeitando a distinção desses espaços, expressam satisfação em ambos os setores. Sentem-se mais capazes, mais companheiras no trabalho e conseguem crescer em sua individualidade. Aquelas que sacrificam suas crenças, formação familiar e cultural expressam um terço menos de satisfação com o trabalho e quase dois terços menos de satisfação com a vida.

Franklin e Mizell, 1995

13

Não queira tudo

Pensamos em muitos aspectos da vida como uma competição – quem conseguiu a promoção, quem ganha o maior salário, quem tem o melhor carro.

Porém, não são todas as pessoas que precisam dessas coisas para serem bem-sucedidas. Cada uma precisa daquilo que faz sua felicidade. Só porque alguém quer estar no topo, deseja ter mais coisas ou trabalhar o maior número de horas, isso não significa que você precise do mesmo.

Sucesso não é uma questão de ter tudo. Isso é impossível e, ainda que fosse possível, não traria a felicidade que se imagina. Sucesso é conseguir aquilo de que você precisa.

Pense no sucesso como se estivesse enchendo uma caixa. Você a encherá mais rápido não só se trabalhar mais, mas também se escolher uma caixa menor.

☺ ☺ ☺

Becky se considera normal em muitos aspectos. Ela tem uma carreira, um bom marido, duas crianças e vive sem tempo para nada.

"Eu tenho a sensação constante de que o tempo é menor do que as coisas para fazer. Parece que a cada dia que passa as tarefas aumentam e o tempo encolhe."

Uma manhã, no meio da correria, Becky decidiu dar uma parada e pensar no que estava acontecendo. Concluiu que os acontecimentos a levavam e que ela perdera o controle de sua vida. Queria dar conta de tudo, respondendo a todas as solicitações, atendendo a todos os pedidos. Tomou algumas resoluções: definir prioridades, delegar mais as tarefas, planejar suas atividades – havia semanas em que Becky ia cinco vezes ao supermercado – e sobretudo ter coragem de dizer não.

Não foi fácil porque o condicionamento era muito antigo, mas, aos poucos, Becky foi conseguindo. "Se você não for capaz de abrir mão de nada, você acabará sendo explorado, não conseguindo usufruir o que tem e gastando energia em coisas sem importância, em vez de empregá-la no que é fundamental para sua felicidade."

☺ ☺ ☺

O sucesso não significa o mesmo para todos. Estudos sobre pessoas que alcançaram conquistas semelhantes no local de trabalho demonstraram uma grande variação no nível de satisfação. Algumas se consideram muito bem-sucedidas e outras se sentem insatisfeitas ou até mesmo fracassadas.

Maasen e Landsheer, 2000

14

Escutar é a melhor defesa

Ninguém gosta de ser criticado. E, para se defender, as pessoas tentam desqualificar qualquer tipo de crítica, negando sua validade ou menosprezando quem a formula.

Infelizmente, ficar na defensiva não vai ajudar você. Ao ouvir uma crítica, por mais que ela lhe desagrade, não a despreze. Se fizer isso, perderá a oportunidade de ouvir uma opinião diferente da sua, de analisar seu trabalho por outro ângulo e, assim, aprender algo novo e crescer.

Tenha consciência de suas qualidades e demonstre isto. Mas não combata nem descarte as críticas só por se achar capaz.

☺ ☺ ☺

Ed havia chegado ao topo. Era vice-presidente de vendas de uma empresa de comunicações muito bem-sucedida. Um ano difícil nocauteou a empresa, e Ed acabou sendo demitido.

Pela primeira vez em vinte anos, ele teve de enviar currículos. Experimentou todas as formas de rejeição – desde ser ignorado até ser considerado superqualificado para a função a que estava se candidatando. "Eu seria capaz de fazer alguns daqueles trabalhos de olhos fechados. Não conseguia acreditar que estava sentado em frente a um gerente insignificante de Recursos Humanos esperando por uma aprovação", reclamava Ed.

"Meus amigos foram muito solidários, mas disseram que eu precisava mudar de atitude. Meu tom de superioridade nas entrevistas de emprego não iria convencer ninguém de que eu era a pessoa certa para o cargo. Pelo contrário, só criava resistências. No início, resisti às críticas, mas venci o orgulho e resolvi escutá-los, mudando de atitude."

Finalmente, com sua nova forma de abordar as questões, Ed conseguiu um emprego – por ironia do destino, no Setor de Recursos Humanos.

☺ ☺ ☺

A atitude defensiva impede o aprendizado e o crescimento. Pessoas de personalidade defensiva passam mais tempo falando nas reuniões, tendem a interromper os outros com mais freqüência e são, em média, 25% mais lentas para se adaptar a novas funções.

Haugen e Lund, 1999

15

Vencedores se fazem, não nascem feitos

As pessoas de grande sucesso são aquelas para quem o destino sorri, não é mesmo?

Não, na verdade, não é. As pessoas de sucesso chegam onde estão seguindo um plano estratégico. Elas aprendem o que é preciso fazer para alcançar o que desejam.

Nós entendemos perfeitamente que, para construir uma casa, é necessário um projeto, mas algumas vezes esquecemos que para construir uma vida bem-sucedida também é necessário ter um projeto.

☺ ☺ ☺

O *chef* Walter Potenza é proprietário de três restaurantes italianos em Rhode Island.

Ele estudou e treinou para ser *chef*, mas percebe agora que suas habilidades são o resultado da educação que recebeu desde menino. "Quando abri meu primeiro restaurante, tudo o que eu havia estudado desde a infância, os conhecimentos que adquiri em minhas viagens, as tradições e valores da minha família, o respeito e a ética de meu pai vieram à tona. Eu me dediquei então a estudar o negócio de alimentos."

E o aprendizado nunca acaba. "Um dos segredos é que, além de ser uma arte, cozinhar é um negócio em que você tem que investir permanentemente para se destacar. As pessoas não nascem *chefs*." Ele explica que alimenta sua criatividade o tempo todo: "Sou um leitor obcecado. Sempre que leio um livro, tenho idéias que adapto ao restaurante. É claro que exige esforço, mas o retorno compensa."

Walter tem uma definição bem clara do que é o sucesso no seu ramo de trabalho: "O sucesso que gostaria de ter é ser lembrado como um homem inovador, que soube trazer a cultura da culinária italiana para a América. Comida tem uma forte relação com família e afeto. Sucesso para mim não é simplesmente ganhar dinheiro. Se no final do dia eu tiver deixado quinze ou vinte clientes satisfeitos, sou um homem feliz."

☺ ☺ ☺

Uma pesquisa revelou que 98% dos grandes executivos vêem sua posição como o resultado de planejamento, estratégias e persistência. Mais da metade usa o exemplo de uma pessoa bem-sucedida quando quer definir seus planos.

Gordon, 1998

16

Não pule etapas

Se estivesse preparando um sanduíche, você iria fazê-lo na ordem certa. Primeiro, uma fatia de pão, depois o recheio e o molho e, em seguida, a outra fatia. Não teria sentido mudar a ordem. Ainda que gostasse muito de mostarda, você não a colocaria no prato primeiro.

No entanto, muitas vezes, quando estamos definindo metas, apesar de saber a seqüência dos passos necessários, somos tentados a pular os mais trabalhosos e menos excitantes. Só que pular etapas pode atrapalhar o andamento do processo e ainda acabar gerando frustração.

Resista à tentação. Aprecie o processo, sabendo que o sucesso do resultado final depende da dedicação a cada uma das etapas do projeto.

☺ ☺ ☺

James McIntyre é conhecido por sua extraordinária capacidade de investigar a causa de acidentes de aviões. "Em um acidente, você sabe qual foi o desfecho. Por isso parte do final e vai analisando todos os detalhes para entender como tudo começou."

McIntyre cresceu no Bronx. Ele não gosta muito de pensar em sua infância pobre e nas dificuldades que sua família enfrentou. Mas, desde cedo, teve uma intuição: tinha que aproveitar ao máximo o presente para ter chance de progredir no futuro. Ele não desprezou nenhuma oportunidade, desde a escola pública em que iniciou seus estudos, até a universidade onde ingressou com uma bolsa por causa de seu desempenho brilhante.

"Hoje em dia percebo que o segredo de meu sucesso foi ter me dedicado plenamente a cada momento, acreditando que estava construindo um futuro melhor, mas procurando não me preocupar com o que viria depois."

"Quando estou examinando as causas de um desastre aéreo, eu me vejo de certa forma reproduzindo o mesmo processo. Vou a fundo em cada questão, nunca dou o passo seguinte enquanto não esgotar o anterior. Confio que, procedendo assim, acabarei descobrindo a raiz do problema e, na grande maioria dos casos, é isto que acontece. Sou meticuloso, persistente, paciente. É uma característica da minha personalidade, mas investi no correr da vida – e continuarei investindo – para desenvolvê-la."

☺ ☺ ☺

Sete entre dez pessoas que estão satisfeitas com a carreira manifestam um forte senso de organização – um respeito pelas diferentes fases da carreira e uma dedicação a cada etapa do trabalho que desenvolvem.

Elliot, 1999

17

Aprenda com cada experiência que tiver

Pode ser que você não esteja fazendo o curso que desejava. Talvez este não seja o emprego dos seus sonhos. Mas nem por isso despreze o que pode conseguir em determinado momento. Viva plenamente o que lhe é oferecido, pois em qualquer experiência há algo a aprender para seu crescimento. Só assim você terá a chance de saber o que deseja – ou o que não deseja – e chegar ao lugar que quer ocupar.

☺ ☺ ☺

Fred Marzocchi nasceu com um enorme talento para o desenho e cresceu sonhando em se tornar desenhista. "Não há muitas maneiras de ganhar dinheiro com desenho, mas a publicidade é uma delas."

Depois de percorrer em vão uma série de agências publicitárias, Fred não se conformou. Ele sentia que, sem experiência, não iria encontrar trabalho e, sem trabalho, não iria adquirir experiência.

Soube então que uma rede de farmácias tinha um departamento de publicidade e se ofereceu para trabalhar por uma quantia simbólica. Fred foi aceito e se empenhou como se estivesse na mais importante das agências. Seu talento foi reconhecido e, em pouco tempo, ele foi contratado pela rede com um salário compatível com o do mercado.

Depois de alguns meses, foi convidado por uma grande agência de publicidade e, após anos de experiência, Fred abriu sua empresa de fotografia e desenho gráfico. Ele sempre lembra como foi importante a época em que trabalhou quase de graça. "Eu precisava de uma chance para começar e mostrar que eu tinha talento para esse negócio. Desde então, nunca mais precisei trabalhar de graça", diz ele com um sorriso.

☺ ☺ ☺

Estudantes universitários que fazem estágio em empresas têm 15% mais chances de conseguir emprego depois de formados. Setenta por cento deles acreditam que ficaram mais preparados para o mercado de trabalho depois do estágio.

Knouse, Tanner e Harris, 1999

18

Concentre-se no que é mais importante para você

Se você pudesse estalar os dedos e mudar qualquer coisa a seu respeito ou sobre sua vida, o que seria?

Você pediria riqueza e fama? Ou pediria inteligência, persistência e generosidade?

Quanto mais você perseguir uma fantasia, menos satisfação terá com você mesmo e mais frustrado se tornará quando não conseguir realizar sua fantasia. Quanto mais você procurar uma vida melhor e mais plena, mais chance terá de levar uma vida melhor e mais plena.

☺ ☺ ☺

Lisa estava em plena ascensão profissional quando sua primeira filha nasceu. Foi um momento crucial em sua vida. Lisa é ambiciosa, adora seu trabalho e gosta muito do nível de vida que seu salário proporciona.

Mas, por outro lado, e justamente por ser uma mulher inteligente, Lisa tinha consciência do quanto seu carinho e atenção seriam fundamentais no primeiro ano de vida de sua filha. Além disso, ela sabia que esse período, por mais exaustivo que fosse, passaria rápido e que, se ela não curtisse seu bebê, perderia uma fase de crescimento e descobertas que nunca mais voltaria.

Lisa tomou uma decisão corajosa: pediu ao chefe para trabalhar meio período. Quando ele concordou, ela vibrou de alegria. Atualmente, uma colega reveza-se com Lisa, realizando parte do trabalho que era só dela. "É uma bela experiência, pois requer cooperação, organização e respeito mútuo."

O corte salarial obrigou a família a baixar um pouco o padrão de vida, e Lisa às vezes se preocupa pensando na sua carreira e no que acontecerá quando voltar a trabalhar em horário integral. Mas está convicta de que tomou a melhor decisão. "Eu escolhi investir no que considero mais importante: uma vida saudável e feliz para minha filha e para mim mesma."

☺ ☺ ☺

As pessoas que se concentram na vida "ideal" que poderiam levar, com fama e riqueza, têm 34% mais probabilidade de serem ansiosas e inseguras, enquanto as pessoas que buscam ter a vida que gostariam e se concentram naquilo que é importante para elas são mais solidárias com os outros e têm 21% a mais de chance de serem bem-sucedidas.

Bybee, Luthar e Zigler, 1997

19

A liderança é contagiosa

O verdadeiro líder não é aquele que comanda um bando obediente. A verdadeira liderança fortalece seus seguidores, formando equipe, ensinando, dando exemplo e capacitando outras pessoas.

Se você quer ser um líder, saiba que sua habilidade será medida pelo sucesso daqueles que estão à sua volta.

☺ ☺ ☺

"Este não é um trabalho para indivíduos que trabalham sozinhos, este é um trabalho para um time coeso", diz o chefe de polícia Frank Blane, que dirige um departamento com centenas de policias na Califórnia. "Eu vejo minha função como a de um maestro regendo uma orquestra, tentando manter a harmonia do conjunto e fazendo cada um dar o melhor de si."

Com seu jeito democrático, Blane cria no departamento um clima de muita cooperação. "Você tem de ser justo com os policiais, para que eles ajam da mesma forma com os cidadãos."

Blane acrescenta: "Quando os superiores dão mal exemplo, toda a organização sofre. Mas, se o tom certo é definido, todos têm confiança e seguem colaborando com o líder."

☺ ☺ ☺

Apesar de associarmos a idéia de poder e comando ao conceito de líder, 93% dos verdadeiros líderes se consideram, pelo menos em parte, como servidores dos membros de sua organização.

Boyer, 1999

20

A vida pessoal e a profissional devem caminhar juntas

Mesmo que 99,9% das peças do seu carro estejam em perfeito estado, um defeito de 0,1% – como um pneu furado ou uma bateria arriada – impede seu carro de ser usado.

A sua vida pode ser saudável e satisfatória, mas se uma parte importante dela não estiver funcionando bem, você se sentirá incompleto. Uma vida de sucesso não é uma questão profissional ou pessoal, é o produto da combinação harmoniosa de ambos.

☺ ☺ ☺

Edwin e Vickie Weatherspoon, junto com seus dois filhos, são sócios numa empresa que oferece serviços de manutenção e limpeza.

Uma família trabalhando junto – "que beleza", dizem muitos. Vickie explica que no início não foi nada fácil misturar vida pessoal e profissional: "Tivemos que apelar até para uma terapia familiar para conseguir administrar os conflitos e conciliar as visões diferentes que tínhamos sobre o negócio. Além do mais, levávamos os problemas do trabalho para casa, o que fazia com que o expediente prosseguisse à mesa de jantar e até no quarto do casal."

Os quatro se comprometeram a esforçar-se para separar o campo profissional do familiar. "O processo acabou sendo extremamente enriquecedor para nós todos. Tanto na empresa quanto em casa, onde assunto profissional passou a ser discutido apenas em emergências, aprendemos a nos conhecer melhor, a nos respeitar, a ouvir e a refletir antes de reagir impulsivamente. O fato de sermos quatro pessoas que se amam e que têm os mesmos objetivos fez o negócio prosperar, o que nos deu muita alegria", diz Vickie.

☺ ☺ ☺

As pessoas que progridem em suas carreiras revelam que, ao alcançar as metas profissionais, reforçam os laços com a família, pois se sentem seguras, o que melhora o seu desempenho fora do trabalho.

Persley, 1998

21

Busque seu próprio interesse

Qual é a diferença entre as pessoas que não se incomodam de levar trabalho para casa nos fins de semana e as pessoas que zombam dessa idéia?

Qual é a diferença entre as pessoas que trabalham durante todo o dia e as pessoas que fazem o mínimo possível, esperando o tempo passar?

Qual é diferença entre as pessoas que estudam à noite e aquelas que nem conseguem imaginar voltar a estudar?

Qual a diferença entre a pessoa mais determinada e a mais preguiçosa?

Interesse próprio.

Fazemos o que fazemos por interesse próprio, porque achamos que aquilo é a melhor coisa para nós. Aqueles que trabalham com afinco fazem isso porque acreditam que serão recompensados de alguma maneira. Aqueles que não se esforçam fazem isso porque não acreditam que o trabalho vá lhes trazer um retorno a longo prazo que compense abrir mão do prazer imediato de curtir a preguiça.

Se você levar em conta o valor das coisas que deseja, o esforço necessário para consegui-las não parecerá tão grande.

☺ ☺ ☺

Gwen foi admitida numa empresa junto com sua amiga Joane. Ao comparecerem ao departamento de pessoal para tratar de salário e benefícios, a funcionária que as atendeu desestimulou as duas a inscreverem-se na fundação previdenciária da empresa: "É um desconto enorme no salário", foi a explicação enfática, mas simplista. Joane imediatamente concordou, mas Gwen pediu um tempo para pensar e, depois de consultar outras pessoas, resolveu aderir ao plano.

Essa atitude inicial desdobrou-se na postura das duas amigas dentro da empresa. Joane limitava-se a cumprir as tarefas que lhe eram exigidas e, meia hora antes do fim do expediente, começava a aprontar-se para sair. Gwen, depois de algum tempo, pediu à empresa que a inscrevesse num curso onde pudesse adquirir conhecimentos que contribuíssem para o seu desempenho. O curso era à noite e exigia esforço, mas Gwen desejava crescer pessoalmente e dentro da companhia, e por isso enfrentou com ânimo o desafio.

A história segue por trinta anos e vai encontrar as amigas no momento da aposentadoria, em condições bem diferentes. Movida por seu próprio interesse, Gwen fizera uma carreira brilhante, que conseguira equilibrar com a vida familiar e afetiva. Aposentou-se com salário integral, graças a uma decisão não precipitada. Nada foi de graça, tudo exigiu empenho, sabedoria e determinação. Joane ficou na média e talvez não aspirasse a mais do que isso. O valor da aposentadoria é que sofreu uma redução considerável.

☺ ☺ ☺

Pesquisadores descobriram que o interesse próprio é o fator mais significativo na dedicação ao trabalho e na satisfação profissional. Sua influência nas conquistas profissionais é por volta de 75%.

Dickinson, 1999

22

Escreva seus planos, metas e ideais

Se quisesse chegar a um destino desconhecido, você provavelmente escreveria as orientações para não se perder.

Mas quando está planejando o caminho a ser percorrido na sua vida, suas metas e o que precisa para alcançá-las, você provavelmente não escreve nada. Pense nisso – por que você não coloca no papel algumas diretrizes para as jornadas mais significativas, aquelas que vão interferir profundamente na sua vida?

Escrever seus planos, metas e idéias faz com que eles se tornem mais reais para você. Ao escrever, você percebe falhas e descobre outras alternativas em que não havia pensado antes. Cada passo que você dá para definir o que quer e o que precisa fazer para chegar aonde quer aumenta suas chances de realmente atingir seus objetivos.

☺ ☺ ☺

Harry é um consultor vocacional. Ele trabalha com profissionais de várias áreas que se sentem insatisfeitos. Ele não costuma perguntar o que os clientes realmente querem. Prefere formular a questão assim: "O que você precisa fazer para conseguir o que quer?" Ele analisa com as pessoas não aquilo que elas *querem* fazer mas o que *precisam* fazer.

Harry freqüentemente encontra pessoas que não conseguem responder essa questão. "Quando pergunto o que elas precisam fazer, pego-as de surpresa, pois a maioria nunca pensou nisso ou desistiu de pensar há muito tempo."

Ele sugere que seus clientes mantenham um diário, pois acredita que, ao escrever, eles encontrarão o que estão realmente procurando. "Se você escreve tudo o que vem à sua mente, sem censura, ao rever o texto, será capaz de notar um padrão nos seus pensamentos, descobrirá coisas a seu respeito em que nunca havia pensado e vislumbrará com mais nitidez o seu caminho."

☺ ☺ ☺

Pessoas que mantêm um diário ou algum tipo de registro das suas aspirações têm 32% mais chance de sentir que estão progredindo na vida.

Howatt, 1999

23

Negocie com confiança ou não negocie

Você enfrenta diariamente inúmeras negociações: tenta convencer seu parceiro a ir ver um filme indiano, pede um aumento de salário, se esforça para conseguir um desconto no carro novo, entre tantas outras situações. O que determina o sucesso da negociação?

A habilidade tem muita importância, assim como o poder de barganha.

Mas quando as negociações se prolongam e a outra parte não quer ceder, as chances de sucesso baseiam-se na sua persistência e no seu nível de autoconfiança. Se perder a confiança, você corre o risco de fechar o negócio com menos vantagens.

☺ ☺ ☺

Robert Gottlieb sempre trabalhou com escritores, tornando-se editor do *New Yorker* após uma vida de dedicação na área editorial. Seu trabalho como crítico é requisitado por escritores renomados, como Joseph Heller e Toni Morrison.

Ele negocia com os autores tudo o que envolve o texto, desde a pontuação até o pagamento. Foi ele quem disse a Joseph Heller que *Catch-18* não era um título tão instigante quanto *Catch-22,* que ele sugeria.

Sua teoria de negociação é simples: "Se você disser: 'Bem, eu não sei. Talvez. O que você acha?', não irá muito longe. Você deve ser capaz de dar suas opiniões com firmeza, mas sem agressividade. Você precisa acreditar no que diz para poder defender seu ponto de vista. Se não tiver confiança no que está dizendo, você não conseguirá convencer ninguém e terá de impor suas idéias."

☺ ☺ ☺

A falta de autoconfiança leva a uma diminuição de 37% da vontade de negociar e a um uso 11% menor de estratégias de negociação. Quanto maior a confiança em si, maior a vontade de enfrentar o risco de uma negociação prolongada. Em suma, quanto menos confiança você tiver em sua capacidade, mais rapidamente você desistirá de lutar pelo que deseja.

Greno-Malsch, 1998

24

Descubra o prazer do trabalho voluntário

Você sente que tem disponibilidade e energia sobrando. Percebe que o trabalho profissional e em casa não preenchem satisfatoriamente o seu tempo e que há em você um desejo de fazer algo mais.

Pois vou lhe dar um conselho pelo qual você vai me agradecer: reserve uma hora desta semana e faça um trabalho voluntário. Sim, dedique uma parte do seu tempo a pessoas que precisam de cuidado ou atenção.

O trabalho voluntário ajuda a comunidade, é claro, mas também vai ajudar você a ver a vida com outros olhos, a sentir-se útil, a receber o retorno em forma de gratidão de pessoas muito simples. Tudo isso aumentará a sua auto-estima e motivação para desempenhar qualquer outro trabalho da melhor maneira possível.

☺ ☺ ☺

Michelle gerencia uma loja de artigos para escritório no subúrbio de Boston. Ela trabalha duro para garantir o lucro do negócio e, no final da semana, sente que precisa de um descanso. O que ela faz? Visita um hospital público infantil onde trabalha como voluntária.

"É enternecedor e emocionante", diz Michelle a respeito da alegria com que as crianças a recebem. Ela também usa seu talento para angariar fundos para o hospital, organizando vários tipos de eventos. "Faço isso porque gosto. Eu sou uma pessoa privilegiada, porque recebi muito e sinto necessidade de dar um pouco em troca."

Mesmo sabendo que não tem muito tempo livre, Michelle sente-se realizada ao investir algumas horas no trabalho voluntário. "Isto reduz o estresse e me revigora porque, quando você dedica algum tempo a uma causa, sente mais esperança em um mundo melhor."

☺ ☺ ☺

As pessoas que fazem algum trabalho voluntário têm 25% mais satisfação com seu emprego, são mais éticas e persistentes em atingir objetivos de longo prazo.

Johnson, Beebe, Mortiner e Snyder, 1998

25

O pior fracasso é não tentar

O medo de fracassar é poderoso. As pessoas não querem revelar para outras pessoas, ou para si mesmas, que não foram capazes de fazer algo que tentaram.

Esse medo pode ser usado de forma positiva. Em vez de paralisá-lo, ele pode ser fonte de motivação para fazer com que você se prepare e persiga atentamente seus objetivos.

Não deixe de tentar por medo de fracassar. O pior fracasso é não tentar porque, dessa forma, você nunca atingirá seus objetivos. E, caso sua tentativa não dê certo, terá sido uma chance para aprender e acertar da próxima vez.

☺ ☺ ☺

Jeff Howard é um psicólogo que estuda como os jovens aprendem e como devemos ensiná-los. Ele diz que a maioria dos sistemas educacionais divide os alunos em três grupos: os muito inteligentes, os médios e os limitados. Da forma como as coisas funcionam, ao alcançar a quinta série do ensino fundamental, os considerados limitados sentem-se completamente desestimulados.

"Nós tratamos essas crianças desde o ensino fundamental como se houvessem barreiras intransponíveis, desafios impossíveis de serem superados. Essa é a expectativa que lhes transmitimos. Valorizamos os mais inteligentes, somos condescendentes com os médios e praticamente desprezamos os considerados limitados."

Howard defende que todo estudante tem capacidade para

aprender mais e combate a tremenda injustiça cometida com essas classificações. Para o grupo dos chamados inteligentes, tudo é possível. Eles são estimulados a tentar e todos os recursos são oferecidos para que alcancem o resultado pretendido. Parte-se do pressuposto de que, para o grupo menos favorecido, nada é possível, então é inútil tentar. Isso os condena a uma autodesvalorização crescente e a fracassos sucessivos.

A solução oferecida por Howard é colocar alunos de todos os níveis juntos, estimular as tentativas e respeitar a diversidade da turma, oferecendo os recursos necessários de acordo com a capacidade de cada um. Howard diz que é importante tornar bem claras as expectativas e recompensas para todos. Estudos recentes mostram que os estudantes dos três níveis melhoraram seu desempenho quando as expectativas foram aumentadas.

☺ ☺ ☺

Ao serem solicitadas a descrever arrependimentos significativos em suas vidas, mais de oito entre dez pessoas falaram sobre ações que não tomaram, em vez de ações realizadas. Em outras palavras, elas deram mais importância às coisas que deixaram de realizar do que às que fizeram, mesmo quando fracassaram.

Ricaurte, 1999

26

Tenha um humor positivo

Humor positivo, o que é isso? Existe humor negativo? Sem dúvida nenhuma. Positivo é o humor que alegra o ambiente, alivia a tensão, relaxa. Humor negativo envolve ataque a pessoas ou a suas idéias, zombando e chamando a atenção para aspectos desfavoráveis, ou que se expressa por meio de piadas grosseiras e constrangedoras.

No local de trabalho e na vida em geral, use o humor positivo livremente, e você será sempre bem-vindo e estimado.

☺ ☺ ☺

Louis Siegfried dirige um negócio multimilionário de catálogos de computadores. Além de levar seu negócio a sério, ele também faz questão de ter uma atitude positiva. "Acredito que, se você se divertir, fará as coisas da melhor maneira possível. Não consigo tolerar pessoas depressivas e melancólicas, assim como não suporto aqueles que fazem graça à custa dos outros. Essas pessoas contaminam o ambiente, diminuindo o entusiasmo pelo trabalho."

Louis procura funcionários motivados e se empenha em tornar o ambiente no escritório o mais agradável possível. "Não existe nada mais desestimulante do que um local escuro, reuniões chatas, palestras desinteressantes, relatórios herméticos e prolixos. Em qualquer setor da vida é preciso haver diversão e prazer. Atribuo o sucesso de minha empresa a vários fatores, mas certamente o clima agradável e descontraído é um elemento que favorece o trabalho."

☺ ☺ ☺

Quando o humor negativo é usado no local de trabalho, tende a se espalhar por toda a organização; 41% dos gerentes vêem esse tipo de humor como a origem da divisão em seus escritórios. Espalhar o humor positivo, por outro lado, aumenta a satisfação profissional em 5%.

Decker e Rotondo, 1999

27

Uma conquista durável é melhor do que um momento de glória

As pessoas que estão no topo querem permanecer no topo. Isso não é surpresa. O sucesso vicia. Depois de experimentar seu gostinho, mesmo que por pouco tempo, as pessoas têm muitas dificuldades de viver sem ele e ficam se agarrando ao passado.

Por isso, estabeleça seus objetivos não para atingir um momento de glória efêmero, que vem e vai rapidamente, mas para alcançar um patamar de conquista que seja satisfatório e durável.

☺ ☺ ☺

A florista Patricia Woyshner, de Nova York, trabalha no ramo há quarenta anos.

Ela é conhecida por seu bom gosto, criatividade e simpatia. Seu momento de glória foi quando recebeu um convite para decorar a Casa Branca nas festas de Natal. "Tive que respirar fundo. Parecia um sonho estar enfeitando aquelas salas que eu só conhecia por fotos."

Patricia usufruiu plenamente a experiência, mas sabe muito bem que a vida não é feita só desses momentos. Ela não se deslumbrou. Continua atendendo todas as pessoas com a mesma simpatia – tanto o cliente que quer comprar um simples arranjo de flores quanto o que deseja contratar seus serviços para decorar um luxuoso salão de festas. "Enfeitar a Casa Branca foi emocionante e compensador, mas eu valorizo o meu trabalho e preciso continuar administrando meu negócio, que, um dia, espero deixar para os meus filhos."

O empenho de Patricia para continuar crescendo, em vez de ficar vivendo de glórias passadas, acabou trazendo-lhe novas recompensas. Para enfrentar a concorrência, ela freqüentou seminários, reformou sua floricultura e contratou uma assessoria de marketing. Seu trabalho tornou-se tão conhecido que a clientela aumentou e até mesmo a Casa Branca voltou a requisitar seus serviços.

☺ ☺ ☺

Não foi surpresa que estudos realizados com ex-atletas olímpicos revelassem que eles são indivíduos muito capazes e extremamente motivados. Contudo, mais da metade dos ex-atletas têm dificuldades em se adaptar a carreiras tradicionais, onde não conseguem repetir o sucesso e o reconhecimento que alcançaram como atletas.

Sparkes, 1998

28

Jogue com a sorte

A sorte é um fator importante em tudo o que acontece.

Todos os aspectos da sua educação e carreira foram afetados pela sorte. Grandes empregos podem ser encontrados ou ignorados porque você leu ou deixou de ler os classificados naquele dia. Novas oportunidades podem ser aproveitadas ou perdidas, dependendo de você estar ou não prestando atenção.

Como o futuro é incerto e a sorte pode jogar a seu favor ou contra você a qualquer momento, o melhor a fazer é perseguir seus objetivos e ficar atento às oportunidades. Quanto mais você tentar, maior será a chance de ter um lance de sorte e conseguir um resultado positivo.

☺ ☺ ☺

Quando Stephen, um editor de Boston, voltou das férias, havia uma verdadeira montanha de originais e seiscentos e sessenta e-mails à sua espera. Ele teve vontade de fugir ou de deletar tudo. Seu assistente disse que já tinha examinado os originais e não encontrara nada de notável.

Stephen respirou fundo e dispôs-se a tomar conhecimento das mensagens, sabendo que, no meio de todo aquele "lixo", poderia encontrar algo importante. Ao abrir o e-mail, ele se deparou com um texto curto, extremamente bem redigido e criativo, de um novo autor comunicando o envio de seu original. Movido pela intuição, Stephen resolveu examinar mais detidamente a obra descartada pelo assistente e viu-se diante de um romance que veio a se tornar um dos maiores sucessos de venda de sua editora.

Desde então, Stephen criou um método para examinar com rapidez seu correio eletrônico: "Sou capaz de ler e responder enquanto falo ao telefone. Só assim não deixo passar a jóia rara escondida no meio de um monte de mensagens inúteis. É um jogo de sorte, mas eu tenho de continuar jogando."

☺ ☺ ☺

Analistas de carreiras descobriram que 83% dos trabalhadores acreditam que a sorte tem um papel significativo em sua vida profissional e procuram manter-se abertos às oportunidades inesperadas.

Williams, Soeprapto, Like, Touradji, Hess e Hill, 1998

29

Passado não é futuro

É tentador simplificar as coisas, como se o jogo do sucesso já estivesse decidido de antemão. Algumas pessoas têm mais vantagens e se tornam bem-sucedidas. Outras só enfrentam dificuldades e perdem.

Na vida, nem sempre dois mais dois é igual a quatro. Pensar assim é um erro.

Seu sucesso depende muito mais do seu comportamento atual do que do ambiente em que cresceu, da escola em que estudou, ou se o seu caminho até agora tem sido fácil ou difícil.

☺ ☺ ☺

John Peterman teve a idéia de criar um catálogo único de vendas a varejo a que deu o nome de *J. Peterman.*

Trinta e cinco investidores disseram que ele era um visionário, mas o trigésimo sexto acreditou na proposta e investiu um milhão de dólares. O negócio se transformou num grande sucesso.

Como Peterman conseguiu seguir em frente depois de tantas rejeições? "Você fracassa muito na vida. Mas, se enfrentar os fracassos e aprender com eles, é capaz de alcançar o sucesso." Ele prossegue: "Se você fica chorando sobre seus erros, não tem qualquer chance de seguir em frente. Cometer erros faz parte do processo de aprendizado."

Peterman teve uma infância bastante modesta, mas isso não atrapalhou sua trajetória de sucesso. "Para os padrões de hoje, nós éramos pobres. Mas eu não percebia. Aprendi a compensar a falta de recursos usando a imaginação e a criatividade. Essas características me ajudaram a me tornar um homem de negócios bem-sucedido."

☺ ☺ ☺

O comportamento dos empregados (tanto no escritório quanto fora dele) é um indicador seis vezes mais poderoso da qualidade de seu desempenho profissional do que qualquer conhecimento anterior ou histórico profissional.

Arrison, 1998

30

Se você não acreditar no seu potencial, quem acreditará?

Algumas vezes, dependemos dos outros para nos convencer daquilo em que queremos acreditar. "Eu consigo fazer, não consigo?", perguntamos.

Ao fazer isso, influenciamos sem saber o julgamento dos outros sobre nós. Isso porque as outras pessoas baseiam seus julgamentos não apenas naquilo que elas acreditam que podemos fazer, mas naquilo que elas acham que nós pensamos que podemos fazer. Em outras palavras, as pessoas serão como espelhos refletindo nossos sentimentos – mostrando medo quando demonstramos medo e confiança quando demonstramos confiança.

Você não pode depender de outras pessoas para convencer-se de que é capaz, porque elas irão depender de você para serem convencidas. E todos correrão o risco de enganar-se.

☺ ☺ ☺

Paul González cresceu em uma vizinhança pobre de Los Angeles. Ele se lembra de quando pessoas bem-sucedidas em seus negócios faziam palestras em sua escola, contando aos estudantes o que conquistaram na vida. Paul diz que essas visitas pouco o ajudaram, pois ele nunca conseguiu se ver no lugar dessas pessoas.

Durante sua infância, Paul testemunhou o crescimento da violência no seu bairro, que acabou culminando na morte de um primo. Então, ele tomou uma decisão. "Prometi a mim mesmo que nunca causaria sofrimento aos outros. Eu traria alegria com as minhas conquistas."

Aos 14 anos, Paul se afastou das gangues da vizinhança e começou a treinar com a liga atlética da polícia local. Era um regime de exercícios duro, que começava às cinco horas da manhã. "Eu me dei conta de que era eu quem tinha que assumir o que queria." Depois de tentar vários esportes, ele escolheu o boxe e estabeleceu as Olimpíadas como uma meta.

Em 1984, Paul fez parte do time olímpico norte-americano e ganhou a medalha de ouro. Ele é agora convidado a visitar escolas para falar sobre a sua experiência. Segundo Paul, a coisa mais importante que os alunos precisam aprender é: "Você pode fazer qualquer coisa, mas primeiro é preciso acreditar em si mesmo."

☺ ☺ ☺

As pessoas têm cinco vezes mais chances de acreditar na capacidade de outra pessoa se acharem que essa pessoa acredita em si mesma.

Werneck De Almeida, 1999

31

Tudo começa e termina com você

Vivemos em um mundo onde grandes corporações internacionais podem crescer mais do que um país. O mercado de trabalho ficou extremamente competitivo, e as relações entre empregados e empresas mudaram. Não existe mais a mesma estabilidade do passado, em que um funcionário começava a carreira numa companhia e só saía de lá para se aposentar.

Por isso, mais do que nunca, é preciso ter consciência de que sua sobrevivência depende de você, de sua postura, determinação e iniciativa. Você terá de tomar sozinho decisões importantes sobre o que quer fazer, onde gostaria de trabalhar, se prefere ser empregado ou abrir um negócio. Aceite a responsabilidade por essas decisões e prepare-se para as oportunidades potenciais que virão no futuro.

☺ ☺ ☺

"Se você tem competência, acredita em si mesmo e pode desempenhar a função, então só falta a determinação para seguir em frente", diz Dr. Bernard Harris, um veterano com mais de quatro milhões de milhas em viagens espaciais.

Harry cresceu em Gallup, uma cidadezinha isolada no Novo México. Mas, quando viu a missão Apollo na televisão, soube que era aquilo que queria fazer e foi em busca de seu desejo. Antes de se tornar astronauta, formou-se em medicina e se alistou na Força Aérea, onde trabalhou como cirurgião.

"O caminho para o sucesso não era fácil para um habitante de Gallup. Tive de batalhar por cada conquista, mas nunca me deixei influenciar pelos que falavam que eu não poderia realizar meu sonho."

Harry adora dar palestras em escolas e sempre diz aos estudantes que só existe uma forma de conseguir o que se quer: "Sua atitude determina sua altitude."

☺ ☺ ☺

A capacidade de responsabilizar-se por seu destino profissional e de investir realisticamente no que se deseja aumenta em 65% as chances de ser bem-sucedido ao trocar um emprego numa grande corporação por um trabalho autônomo ou numa pequena empresa.

Peiperl e Baruch, 1997

32

Você trabalhará mais ao se sentir útil

Parece simples, mas é verdade. Nós trabalhamos mais e melhor quando nos sentimos úteis e apreciados.

Dinheiro, prestígio e todos os outros aspectos positivos do trabalho ficarão comprometidos se acharmos que as pessoas para quem trabalhamos não se importam conosco e não nos valorizam.

☺ ☺ ☺

A companhia Wainwright Industries, do Missouri, diz que um empregado médio gera cinqüenta e cinco idéias por ano para aumentar a produtividade da empresa. Essas idéias são estimuladas, recolhidas e avaliadas, e o empregado sempre recebe um retorno, nem que seja apenas um elogio por seu empenho e criatividade

O presidente da empresa, Don Wainwright, acredita que esta atitude em relação aos empregados aumenta a criatividade e a motivação, com conseqüências mensuráveis no lucro da empresa. "Na maioria das organizações, os gerentes dirigem a empresa como pais. Definem regras e procedimentos para depois administrarem punições e recompensas. Os empregados são reduzidos à condição de crianças que têm de jogar de acordo com o que mamãe e papai dizem, sob pena de serem punidos."

Na Wainwright foi adotada a Política dos Empregados que "evita a armadilha dos pais infantilizadores e encoraja todo empregado a falar abertamente quando tiver uma idéia melhor, em vez de fazê-lo somente a seu superior, que tanto pode apropriar-se do crédito para conseguir subir na empresa quanto boicotar a idéia."

A política tem sido um grande sucesso, e Don Wainwright atribui a ela a queda de 35% nos custos da produção e 91% na rejeição de clientes. Para que haja um retorno concreto, além de o funcionário ter uma recompensa em dinheiro quando a idéia é utilizada, todos os empregados recebem bônus quando há aumento de produtividade.

☺ ☺ ☺

As chances de os trabalhadores que se sentem apreciados pelo seu superior procurarem outro emprego são 52% menores.

Jones, 2000

33

Você não está nisto sozinho

"Cada um por si e Deus por todos." Se você levar esse ditado ao pé da letra, vai acreditar que cada um de nós é o único responsável por seus sucessos e por seus fracassos.

Pensar dessa maneira pode nos deixar em pânico ou sob forte tensão. Se estamos sozinhos, temos que suportar toda a carga sobre nossos ombros. Tudo o que acontecer ou deixar de acontecer será por nossa causa.

Só que isso não é verdade. Ninguém está completamente sozinho. Em cada etapa de nosso caminho, encontramos pessoas que nos protegeram e ensinaram, ou pessoas que contribuíram para nos desviar do rumo, que se omitiram ou foram coniventes com nossos enganos. E por mais que vivamos numa cultura individualista, ninguém obteve sucesso ou fracassou sozinho.

☺ ☺ ☺

Lincoln Carpenter estava sendo homenageado naquele dia como o responsável pela revitalização de toda uma área industrial que entrara em decadência anos antes. Durante meses, ele se empenhou em conseguir incentivos fiscais do governo, fazer reuniões com empresários e políticos para trazer de volta para a região empresas que tinham se mudado para outros estados.

No dia em que recebeu a homenagem, ele fez questão de dividir seu sucesso com todas as pessoas que, ao longo de sua vida, lhe deram apoio. "Muitas pessoas foram responsáveis por esta realização, a começar por minha mãe, que ficou viúva muito cedo e trabalhou corajosamente para educar os filhos e nos ensinou que a união faz a força", disse Lincoln.

Com os olhos marejados, ele disse que, se pudesse, convocaria todos os amigos e colaboradores para subir ao palanque, mas infelizmente nem todos estavam ali. "Gostaria de homenagear os professores que estimularam meus esforços e acreditaram em mim, os colegas de faculdade que me emprestaram seus livros quando eu não tinha recursos para comprá-los, minha esposa e meus filhos pela alegria diária e pelo apoio que me dão. Minha homenagem vai, sobretudo, para esta comunidade. Fui um mero instrumento que levantou esperanças e congregou esforços. Mas, se não tivesse havido resposta, se cada um não tivesse contribuído com sua parcela, eu teria desanimado e não estaríamos vivendo este momento de entusiasmo e realização."

☺ ☺ ☺

As pessoas que têm consciência de que as realizações dependem da congregação de esforços e da importância das conexões humanas consideram-se duas vezes mais bem-sucedidas do que aquelas que têm visões individualistas.

Carpenter, 2000

34

A persistência depende de uma perspectiva mais ampla

A maioria das coisas que você quer não vai aparecer do dia para a noite. As coisas mais importantes levarão anos para serem conquistadas.

Como ter estímulo para prosseguir sabendo que ainda tem muito caminho pela frente?

As pessoas persistentes fortalecem-se com a crença de que o que elas querem pode ser feito. Elas não se concentram na distância que têm de percorrer ou no tempo que vai levar para conseguirem o que querem, mas na convicção de que o que desejam é possível e que depende delas fazer com que aconteça. Os persistentes também acreditam que mais importante do que entender a tarefa que têm pela frente é se conhecerem e saberem as perspectivas que têm no futuro.

☺ ☺ ☺

Algumas vezes, ele tem dificuldade em convencer até mesmo sua mulher, mas o consultor da Bolsa de Valores John Conover diz a todo mundo que ações são um excelente investimento a longo prazo.

"Não há um investimento melhor. Um investimento disciplinado em grupos diversificados de ações não irá fazer com que você enriqueça da noite para o dia, mas é uma sólida aplicação a longo prazo. Boas empresas com bons produtos ganharão dinheiro e terão suas ações valorizadas. Haverá maus momentos por causa dos anos fracos da companhia ou da economia como um todo, mas, se você tiver paciência, garantirá um sólido patrimônio. E os anos bons irão se sobrepor aos ruins", diz ele.

Tentar resultados rápidos com ações é "um jogo para bobos. É perigoso para sua saúde financeira e só é recomendável para quem quer perder seus investimentos", segundo John.

☺ ☺ ☺

Ao comparar pessoas que tendem a desistir facilmente com aquelas que tendem a prosseguir, mesmo durante desafios difíceis, pesquisadores descobriram que os persistentes gastam duas vezes mais tempo pensando não sobre o que tem de ser feito, mas sobre o que já conquistaram, o fato de a tarefa ser possível e sua capacidade em desempenhá-la.

Sparrow, 1998

35

Não tenha medo de aprender coisas novas

Tente ensinar a uma pessoa que não entende nada de computadores como eles podem facilitar a vida dela. A reação mais comum é a relutância. Por que alguém teria resistência em dominar uma ferramenta nova que facilitaria seu trabalho? Quase sempre é por temer que alguma coisa que simplifique o seu trabalho possa um dia fazer com que perca o emprego.

Ensinar é como pedir a alguém para embarcar em uma viagem. A vontade de ir convive com o medo e a insegurança diante do desconhecido. As pessoas temem que o aprendizado de uma nova técnica revele sua falta de atualização, ou pior, sua incompetência, caso não sejam capazes de aprender.

Ao tentar ensinar algo novo a alguém, imagine que você é um agente de viagem diante de um turista medroso. Você tem que tranqüilizá-lo e incentivá-lo, convencendo-o de que aquele roteiro é perfeito, sem riscos e que todos os que já fizeram a mesma viagem adoraram.

☺ ☺ ☺

"Para que eu preciso disso?", protestou Jack quando sua neta lhe perguntou se ele não usava um computador. Jack era fazendeiro há cinqüenta anos e se saía muito bem sem qualquer computador.

Para motivá-lo, sua neta deu vinte exemplos do que ele poderia fazer se tivesse um computador: manter o registro das suas finanças, planejar a compra de grãos e as datas de plantio e colheita, entre muitas outras coisas. Mas Jack rebatia todas as sugestões, afirmando que já fazia tudo isso sem computador.

"E o tempo? Você leva dias fazendo relatórios que poderia obter em segundos."

A neta então apelou para o exemplo de outros fazendeiros, todos velhos conhecidos de Jack, que tinham se favorecido com o uso do computador. A insistência foi tão carinhosa que ele acabou cedendo. Em pouco tempo, o fazendeiro de 75 anos, que nunca tinha conseguido programar seu videocassete, estava usando um computador para registrar tudo o que acontecia na fazenda.

Jack admite que velhos hábitos não morrem facilmente. "Teimei como ninguém, mas tenho de confessar que essa geringonça ajuda muito. Só que, de vez em quando, prefiro fazer minhas contas à mão para não perder o hábito."

☺ ☺ ☺

Medo e insegurança são o maior obstáculo para se conseguir a participação voluntária dos trabalhadores em novos programas de treinamento. Além disso, a insegurança costuma se espalhar entre os colegas de trabalho à medida que eles conversam sobre seus medos e preocupações.

Wiesenfeld, Raghuram e Raghu, 1999

36

Aprenda a lidar com a inveja dos outros

Algumas vezes, no caminho para o sucesso, você entrará em competição direta com alguém, e sua vitória causará tristeza. Mais freqüentemente ainda, seu sucesso fará com que outros se comparem a você e sintam inveja de suas habilidades.

Saiba que nem sempre é um ataque pessoal a você, mas uma forma sincera, apesar de desagradável, de elogio.

☺ ☺ ☺

"Cada ano, eu fico menos tempo conversando perto do bebedouro", diz Sheila. "À medida que avançamos no trabalho, muita gente começa a pensar em nós como inimigos e não como um amigo que foi promovido."

Ela sente que seu rápido crescimento profissional gera muita inveja em alguns colegas, e até afastamento. "Mas você não pode abrir mão do sucesso para evitar incomodar as pessoas."

O melhor conselho em relação a esse assunto veio de seu pai, que batalhou durante quarenta e cinco anos sem alcançar a promoção que sua filha conseguiu em menos de dez. Ele disse para Sheila: "Dedique-se ao trabalho, alegre-se com a promoção, mas considere-a como uma responsabilidade maior. Sobretudo, trate todo mundo com respeito, chefes e subordinados. Você verá como a maioria reconhecerá seu empenho e retribuirá esse respeito."

☺ ☺ ☺

Seis em dez gerentes relatam que perderam amigos entre colegas de trabalho que não foram promovidos tão rapidamente quanto eles.

Austin, 2000

37

Não basta ter talento

Você precisa de confiança para ter sucesso. Você já ouviu isso, já leu sobre isso, sabe disso. Confiança significa auto-estima, e esta deve ser construída com base no respeito próprio.

Por mais que tenhamos confiança em nós mesmos, sofremos quando fracassamos e ficamos abalados com os resultados negativos.

Por isso não basta saber o quanto você é capaz ou talentoso, é preciso que tenha plena consciência de quem você é – a sua essência. Quando algum acontecimento minar a sua auto-estima, você precisa ter uma fé inquestionável em você mesmo. Essa fé na sua integridade irá ajudá-lo a sobreviver a uma derrota ou até mesmo a uma série de fracassos. Será seu ponto de partida para reconstruir sua vida e sua auto-estima.

☺ ☺ ☺

Peter Shane é o reitor da Escola de Direito da Universidade de Pittsburgh. Ele diz aos alunos que, mesmo que conheçam todas as leis e confiem muito em si mesmos, sua educação não está completa. "Vocês precisarão de coragem, especialmente se querem se tornar líderes em suas comunidades e em suas profissões. Se defendem mudanças, têm de compreender que não há qualquer mudança sem que alguém se sinta ameaçado e reaja."

O reitor adverte os estudantes sobre a tentação de "pegar o caminho mais fácil" e "usar a lei do menor esforço". Para resistir, eles devem ter profunda consciência de que suas ações servem de exemplo para os outros. “A melhor medida para julgar o exemplo que alguém dá como líder, advogado, cidadão ou pai de família é a justiça e a decência com que essa pessoa trata os outros seres humanos. Pode ser um amigo ou um inimigo, um colega ou um oponente, um superior ou um subordinado.”

Se seguirem este caminho, diz Dean Shane, “vocês irão ter o privilégio de olhar para trás e ver uma vida bem vivida”.

☺ ☺ ☺

A auto-estima por si só não prediz o sucesso. Na verdade, as pessoas com uma auto-estima muito elevada são 26% mais vulneráveis ao fracasso e a contratempos por causa do efeito devastador que um resultado negativo possa causar à imagem que elas têm de si mesmas.

Coover e Murphy, 2000

38

Inspire-se em um modelo que combine com você

Sempre ouvimos histórias de pessoas fantásticas e de sucessos maravilhosos. Colocamos os retratos dessas pessoas na parede e usamos freqüentemente suas citações. Olhamos os retratos e lemos os dizeres como sendo realidades inspiradoras, mas muito distantes de nós. No fundo, achamos que elas realizaram coisas que nunca faremos ou poderemos fazer.

Há sempre um grande risco de, ao escolhermos um modelo, partirmos para comparações. Se achamos que nossos talentos e os resultados de nossas ações são muito inferiores aos do modelo que nos inspirou, isso se tornará uma fonte de frustração e derrota.

Escolha como exemplo alguém que tenha conquistado algo que você também possa e queira conquistar. Essa pessoa não precisa ser um atleta famoso, um líder ou figura histórica, cujas experiências têm pouco em comum com as suas. Seu modelo pode estar bem perto de você: pode ser um avô sábio e generoso, uma mãe atenta e carinhosa, um amigo corajoso ou um colega de trabalho determinado.

☺ ☺ ☺

Heidi Miller trabalhou como encarregada do setor financeiro em duas grandes multinacionais. Era sem dúvida uma mulher de sucesso.

Mas, à medida que empreendia sua ascensão rumo ao topo, ela se sentia mais só. Seus antigos amigos de militância política repudiaram sua decisão: "Você vai trabalhar para uma multinacional? Que traidora!" Seus colegas de trabalho a olhavam com inveja e se afastavam dela. "Eu me senti marginalizada", lamenta Heidi.

Ela não se conformou com esse isolamento. Sabia que outras mulheres deviam estar vivendo o mesmo problema, e por isso resolveu fundar a Women and Company, uma associação para mulheres de negócios. Elas se encontram periodicamente para compartilhar suas experiências. Heidi e as companheiras conversam tanto sobre seus sucessos quanto sobre as dificuldades, os fracassos e a forma que cada uma encontra para enfrentar os desafios. Depois que passou a participar desse grupo, Heidi se sentiu em paz com ela mesma e muito mais estimulada: "Servimos de modelo umas para as outras, mas ninguém abafa ninguém. Nossa atitude não é de competição, mas de aprendizado."

☺ ☺ ☺

Os que escolhem como modelo pessoas com experiências relevantes, mas atingíveis, se beneficiam muito dessa prática. Aqueles, porém, que escolhem modelos cujos feitos são inatingíveis, terminam 22% menos satisfeitos com as suas carreiras do que as pessoas que não têm modelo algum.

Lockwood e Kunda, 2000

39

Aprenda com seus erros e fracassos

Os contratempos são oportunidades maravilhosas de aprendizado. Não se esqueça disso, pois a tendência imediata é nos lastimarmos, culparmos os outros ou nos sentirmos injustiçados. Ante algo que saiu errado, pare e pense "o que aconteceu?", "qual foi a decisão ou o passo que levou a esse resultado?", "o que eu poderia ter feito de outra maneira?". Não para acusar-se, mas para aprender.

Você está perseguindo a meta que realmente deseja? É uma meta atingível ou fantasiosa? Progrida e cresça cada vez que as coisas não acontecerem como você queria.

☺ ☺ ☺

Na faculdade, Mary Ann penou durante o curso de farmácia, uma graduação bastante difícil. Ela tinha escolhido ser farmacêutica porque desejava uma carreira que pagasse bem e prestasse um serviço para a comunidade.

Só depois de formada foi que Mary Ann percebeu as dificuldades profissionais que enfrentaria. "Basicamente, você pode optar por trabalhar em uma grande cadeia de farmácias, passando longas horas em lugares sem janela, etiquetando frascos e nunca vendo os clientes ou falando com eles. Ou trabalhar em uma pequena farmácia de manipulação que não conseguirá enfrentar a concorrência e será comprada por uma grande cadeia." Mary Ann sentiu-se profundamente frustrada, convencida do erro que tinha cometido ao escolher a profissão.

Sem alternativa imediata, optou por trabalhar em uma megafarmácia e, sem grandes surpresas, não gostou da experiência. No entanto, resolveu não se acomodar e, junto com dois colegas que compartilhavam sua insatisfação, pôs-se a estudar outras opções.

Planejaram cuidadosamente um negócio que conciliasse a satisfação com o trabalho, o lucro e a prestação de serviço à comunidade. "O desejo de mudar foi maior do que o medo de seguir em frente com nossos próprios pés." Depois de erros e acertos, conseguiram afirmar-se no mercado com uma farmácia de porte médio. "Estou convencida de que a lição aprendida ao achar que tinha errado escolhendo o curso de farmácia vai valer para sempre. Quando, em vez de me lastimar e me acomodar num emprego insatisfatório, resolvi aprender com o que eu considerava um engano, minha vida mudou. Perdi o medo de errar, porque descobri que o erro é uma oportunidade para se aprender e progredir. Basta examinar a fundo cada passo dado para descobrir a falha e corrigi-la."

☺ ☺ ☺

A maioria dos estudantes que deixaram a faculdade e depois retornaram relata que a grande diferença é que, na segunda chance, conheciam melhor suas capacidades e seus limites.

Robeson, 1998

40

Valorize seu trabalho: ele pode durar para sempre

Quem não sonha em ter um sucesso imediato na carreira e aposentar-se com salário integral enquanto ainda tem saúde e energia para fazer tudo aquilo que deseja?

Vivemos numa sociedade que alimenta fantasias de sucesso meteórico e das maravilhas de se ganhar muito dinheiro rapidamente e passar o resto da vida sem precisar trabalhar.

No entanto, verifica-se que a maioria dos aposentados – mesmo os bem-remunerados – baseava sua identidade na carreira e desejava continuar entremeando o lazer com a atividade e a responsabilidade que a vida profissional proporcionava.

☺ ☺ ☺

Para Vincent, um aposentado de 70 anos, a aposentadoria depois de cinqüenta anos de trabalho não foi um sonho que se tornou realidade. "Algumas pessoas parecem tão felizes por estarem aposentadas, mas eu me sinto perdido. Há um enorme vazio dentro de mim."

Vincent encontrou nova motivação ao se engajar no conselho comunitário de sua cidade, cujo papel é decidir sobre zoneamento e uso da terra. "Sinto que aqui posso utilizar meu talento e tudo o que a experiência de trabalho me ensinou", diz ele.

Em sua carreira, Vincent trabalhou com planejamento e exerceu a função de gerente durante muitos anos, mantendo sua equipe unida, administrando conflitos e garantindo a produtividade. O conselho comunitário sempre lida com assuntos controversos entre vizinhos. Vincent desempenha um papel fundamental, procurando conciliar interesses e fornecendo informações necessárias na hora da decisão. "Sinto-me rejuvenescido e motivado. Só agora me dou conta do valor da experiência que ganhei ao longo desses cinqüenta anos."

☺ ☺ ☺

O fator mais decisivo na definição da identidade de um aposentado é a sua experiência profissional, superando até mesmo sua vida familiar.

Szinovacz e DeViney, 1999

41

Exercite-se e alimente-se bem

Você é uma pessoa concentrada e eficiente. Usa tão bem seu tempo que tem uma produtividade excepcional. E, por ser tão ocupado, não consegue arrumar tempo para se exercitar e engole um sanduíche enquanto trabalha para não interromper o que está fazendo.

Isso equivale a tentar economizar tempo não colocando gasolina no carro. Depois, quando o automóvel enguiçar no meio da rua, você terá que conseguir ajuda ou ir a pé para o trabalho.

Hábitos saudáveis aumentam sua energia e melhoram tanto seu desempenho quanto sua satisfação no trabalho. Você vai gastar mais tempo, mas, a médio e longo prazos, preservar sua saúde torna possível a conquista daquilo que você deseja.

☺ ☺ ☺

Durante vinte anos, Kathryn dedicou-se integralmente ao seu trabalho numa grande empresa de contabilidade. Era a primeira a chegar, a última a sair, almoçava em menos de quinze minutos e ainda levava trabalho para casa. "A empresa me valorizava muito e recebi várias promoções que fizeram com que eu relevasse o estresse constante em que vivia."

Foi preciso que ela tivesse um sério problema cardíaco para que acolhesse a advertência de seu médico de que sua saúde corria risco.

Com a mudança de rotina, os resultados foram fantásticos.

"Eu não me lembro de jamais ter me sentido tão bem", diz Kathryn. Ela não só se sente mais bem-disposta como produz muito mais. "Hoje, tenho uma vida equilibrada. Ainda há muito a fazer, mas descobri o caminho para conciliar minha carreira e meu bem-estar."

☺ ☺ ☺

Ao comparar funcionários de nível gerencial, pesquisadores descobriram que, em 53% dos casos, aqueles que progridem em suas carreiras têm hábitos de vida mais saudáveis do que aqueles que não conseguem sair do mesmo patamar.

Roberts e Friend, 1998

42

O tédio é o pior inimigo

O tédio irá minar sua persistência e poder de decisão. Ninguém é capaz de manter o interesse e a motivação permanecendo na mesma função eternamente.

Quando estiver avaliando uma oportunidade profissional, não se preocupe apenas com o salário e a quantidade de trabalho. Investigue qual será a variedade de tarefas que você irá desempenhar.

☺ ☺ ☺

Loren Schultz trabalha há 45 anos como consultor de empresas. Ele relembra um fato que o surpreendeu.

"Eu estava dando consultoria numa grande empresa, quando fui procurado por um alto gerente. Ele queria me comunicar que estava pedindo à companhia que o exonerasse do cargo e o deslocasse para um outro setor que lhe apresentasse um desafio diferente e onde ele pudesse renovar-se e crescer como pessoa e profissional. O gerente estava há dez anos no mesmo cargo e percebia que tinha se acomodado. O trabalho tornara-se mecânico e repetitivo e ele tinha perdido a motivação e a criatividade. 'Ser chefe', disse ele, 'é uma espécie de armadilha. Além do status que isso confere, você tem uma série de privilégios: sala própria, secretária particular, além da gratificação de função. Você sente que não está rendendo como poderia, mas é difícil abrir mão e, como seu desempenho é satisfatório, a empresa não pensa em mudá-lo de área. Tomei coragem e vou sair antes que me torne uma pessoa medíocre, coisa que me deixaria muito infeliz.'"

☺ ☺ ☺

Trabalhos muito repetitivos são duas vezes menos produtivos e causam três vezes menos satisfação do que aqueles onde há variedade de funções e de tarefas.

Melnarik, 1999

43

Seja honesto sobre o seu papel no resultado

O presidente Kennedy gostava de uma citação de Confúcio: "A vitória tem muitos pais, a derrota é uma órfã." Nossa tendência é reivindicar crédito pelo sucesso e jogar a culpa pela derrota nas outras pessoas.

No entanto, é preciso saber exatamente qual o nosso papel na vitória, seja ele qual for. Se não tivermos clareza sobre isso, mitificaremos nossa participação e estaremos mal preparados para repetir o processo que realmente levou ao sucesso. Por outro lado, se negarmos nosso papel no fracasso, não aprenderemos com os nossos erros. Além do mais, no fundo, sabemos bem qual foi a parcela de responsabilidade que nos coube tanto no acerto quanto nas falhas.

É cômodo pensar que tudo que dá certo é produto das nossas habilidades pessoais e tudo que sai errado é culpa dos outros. Mas essa não é certamente a forma de construir o sucesso, e mentir para nós mesmos nos empobrece.

☺ ☺ ☺

Muitas pessoas consideram Paul Baran o "pai da Internet". Ele era engenheiro da Rand Corporation nos anos 60 e participou do desenvolvimento do processo de transmissão de dados que se tornou essencial para o surgimento da Internet.

Paul, que nasceu na Polônia e imigrou para os EUA quando ainda era criança, tentou vender a idéia da Internet para grandes companhias de comunicação. Elas nunca se interessaram. Ele lembra dos executivos tentando dissuadi-lo da idéia: "Eles ouviam as idéias daquele jovem e as descartavam com um ar condescendente."

Mas Paul não desistiu da idéia e percebeu que não precisava de um produto novo, mas sim de um público diferente.

Ele encontrou esse público quando expôs a idéia para o exército norte-americano. Sua idéia foi finalmente aceita e desenvolvida. Paul não tem qualquer dificuldade em dividir os créditos de seus esforços. "A Internet representa o trabalho de milhares de pessoas. Cada um de nós teve uma participação." Trinta anos depois de ter ajudado a tirar a Internet do papel, ele continua sonhando com grandes idéias que se transformam em operações lucrativas. "Iniciei essas empresas, depois encontrei alguém mais esperto para gerenciá-las e saí rapidinho do caminho."

☺ ☺ ☺

Quando as pessoas têm de atribuir a responsabilidade por sucessos e fracassos, explicando como as coisas aconteceram, elas tendem a focar sete vezes mais na relevância de seus esforços ao descrever o sucesso do que ao descrever um fracasso. Essa tendência é 19% maior entre trabalhadores menos experientes, que assumem mais crédito pelo sucesso e negam a culpa pelo fracasso – e não aprendem nada no processo.

Moeller e Koeller, 2000

44

Valorize as mudanças

As mudanças são tentadoras. Quer seja uma mudança no método de trabalho ou até mesmo de emprego, nós ficamos entusiasmados ao pensar na possibilidade de conseguir resultados positivos.

Todas as pessoas talentosas querem fazer mudanças em sua vida e no mundo que as cerca. Se você acredita no seu talento, acha que pode – e deve – fazer as coisas de uma forma melhor. O problema é quando você nunca se contenta com o resultado obtido.

Não faz sentido estar sempre tentando mudar alguma coisa, assim como não faz sentido fugir de toda e qualquer mudança.

☺ ☺ ☺

"Durante muito tempo, tentei seguir em tantas direções que não sabia mais onde estava. Comecei e parei tantos cursos que perdi a conta", diz Teresa, uma assistente jurídica. "Acho que precisava fazer um curso para pessoas que tentaram fazer cursos demais."

Ela diz que sua vida era um círculo vicioso: "Caía na conversa das pessoas, pulava de cabeça e, depois de um curto período de tempo, sentia que não estava funcionando. Então, o ciclo começava novamente."

Finalmente, uma de suas amigas lhe deu um conselho. "Ela me disse que – se em vez de impulsivamente procurar minha felicidade nas mudanças, eu pudesse parar, buscar uma terapia ou um aconselhamento e refletir sobre o que queria da vida – teria todas as condições para buscar o que realmente desejava. Verifiquei que o excesso de mudanças era uma forma de escapar de mim mesma e também de reagir contra o que presenciei com meu pai: ele se acomodou num trabalho medíocre, aposentou-se nele, virou um velho de pijama, em casa, infernizando a vida de minha mãe."

Finalmente Teresa encontrou o que queria e investiu fundo na carreira. Isto não significa que ela não possa mudar. Mas a mudança não será mais fruto de movimentos impulsivos, fugindo de si ou reagindo à acomodação do pai. Será uma busca efetiva de felicidade e sucesso.

☺ ☺ ☺

Pessoas que se consideram inteligentes têm 47% mais necessidade de mudanças no seu mundo profissional. Eles sempre vêem possibilidades e oportunidades ao seu redor, mas devem evitar que o tédio seja o único fator que as motive a mudar apenas por mudar.

Whatley, 1998

45

Ouvir é mais do que não falar

Nós somos tão movidos pela necessidade de falar, pensamos tanto sobre o que vamos falar e na melhor forma de fazê-lo que, algumas vezes, consideramos o tempo em que não estamos falando como um tempo de descanso.

São poucas as pessoas que investem na arte de escutar verdadeiramente, acolhendo aquilo que os outros estão dizendo. Muitos dominam a conversa, sem dar espaço para os demais, ou interrompendo os outros e usando o que eles estão contando como ponto de partida para suas próprias histórias. No entanto, escutar é uma forma excelente não só de aprender, obtendo informações e ouvindo experiências e pontos de vista diferentes dos nossos, como de saber como são as pessoas com quem convivemos e quais são suas expectativas e desejos.

☺ ☺ ☺

Don está casado há quarenta e sete anos. É um homem distraído e um falador compulsivo. "Minha própria mãe não sabia como minha mulher conseguia me agüentar. Se eu lhe contasse sobre qualquer desentendimento que tivera com minha mulher, minha mãe não tinha dúvida sobre quem era o culpado: mandava eu voltar e pedir desculpas. Todas as vezes."

Ele continua: "Um dia, minha mulher me contou uma história interessante sobre um vizinho. No dia seguinte, repeti a história para ela, esquecendo que ela é que havia me contado." As coisas foram ficando difíceis entre os dois.

Numa terapia de casal, Don começou a entender a importância da comunicação não só com sua mulher mas com todas as pessoas. No trabalho, ele despejava seus argumentos sobre os colegas, sem prestar atenção em suas respostas. Com os amigos, defendia seu ponto de vista e, quando os outros refutavam, Don simplesmente se desligava. "Eu me dei conta do quanto perdia deixando de escutar com atenção, procurando de fato acolher o que estava sendo dito. Percebi, a partir de então, como posso me enriquecer ouvindo meus companheiros de trabalho, meus amigos, meus filhos, minha mulher. Além do mais, eu me tornei uma pessoa muito mais interessante e querida."

☺ ☺ ☺

As pessoas com especial talento para falar tendem a não ser boas ouvintes. As pessoas que têm facilidade para falar se consideram extrovertidas, enquanto os bons ouvintes se classificam como introvertidos. No entanto, bons ouvintes têm 60% mais probabilidade de colocar-se no lugar dos outros e tentar ver as coisas a partir de seu ponto de vista.

Pauk, 1997

46

Abandone os preconceitos

Preconceitos são terrivelmente limitadores. Crescemos e somos formados em uma cultura cheia de preconceitos. Desde cedo, vemos atitudes e ouvimos frases preconceituosas, como "gente de outra raça é inferior", "pessoas sem formação universitária não têm competência", "homossexualismo é uma aberração".

Se formos expostos a esses estereótipos desde criança, corremos o risco de basear muitas ações, decisões e julgamentos neles. E o pior é que julgamos não apenas os outros, mas nós mesmos.

O que é um preconceito? É um conceito que formamos sobre algo ou alguém sem conhecer a realidade. Já nos aproximamos com um julgamento formado e isso nos impede de conhecer o que aquilo ou aquela pessoa é de fato.

Ninguém escolhe agir assim racionalmente, negando oportunidades de felizes descobertas e julgando negativamente outras pessoas com base em um conjunto de preconceitos. Mas fazemos isso inconscientemente muito mais do que gostaríamos, o que só pode nos causar prejuízo.

☺ ☺ ☺

Natalie Woodroofe chegou há quinze anos à zona rural de New Hampshire, acompanhando seu marido. Como é uma mulher cheia de energia, ofereceu-se para dar aula de desenho na modesta escolinha local. Foi o início de uma grande aventura. Visitando as crianças em casa, ela entrou em contato com as esposas dos lavradores, mulheres humildes que eram discriminadas pelos fazendeiros e habitantes da pequena cidade vizinha. Inicialmente elas se mantinham em silêncio, intimidadas por aquela "grande dama". Mas a simpatia e naturalidade de Natalie venceram a timidez das mulheres. Conhecendo-as melhor, Natalie descobriu mulheres talentosas e com grande sabedoria adquirida na luta pela sobrevivência. Decidiu então dar uma oportunidade para que desenvolvessem suas habilidades e pudessem contribuir para a renda familiar.

Esta foi a origem da organização chamada Women's Rural Entrepreneurial Network (WREN). Os membros da WREN ajudam a diferentes tipos de mulheres, desde artesãs até profissionais que oferecem serviços de arte visual e contabilidade.

Mulheres que estavam isoladas passaram a reunir-se, a trocar experiências e a discutir sobre os mais variados temas. O desenvolvimento de seu potencial e o fato de ganhar dinheiro com seus produtos e serviços deu-lhes mais segurança.

A WREN interliga essas mulheres a uma rede de profissionais – advogadas, gerentes ou empresárias – dispostos a transmitir seus conhecimentos. Barbara Wood, uma arquiteta, comenta: "Temos de lutar para acabar com preconceitos econômicos, culturais e educacionais que nos impedem de valorizar pessoas de tanto talento. Nós ensinamos o que estudamos, mas elas nos dão, com sua força e sabedoria, uma lição de vida inestimável."

☺ ☺ ☺

As pessoas que julgam os outros e a si mesmas de forma preconceituosa têm 39% mais probabilidade de acreditar que as oportunidades são limitadas tanto para elas quanto para as demais pessoas.

Frome, 1999

47

Não deixe o medo atrasar a sua vida

Quando perdemos tempo nos preocupando com o que pode dar errado, estamos deixando de usar esse tempo para melhorar e crescer. O que significa que, quando nos preocupamos com as coisas que podem dar errado, aumentamos a chance de elas darem errado.

Aceitar que algumas vezes vencemos e outras perdemos nos deixa livres para perseguir nossos objetivos e para usar o tempo planejando o que podemos fazer, em vez de ficar pensando no que não podemos.

☺ ☺ ☺

"A maioria dos negócios é construída com base na rejeição. Se uma empresa contratar todos os que concorrem a uma vaga, ou comprar cada produto que lhe for oferecido, estará falida em dez minutos", diz o professor de arte dramática Martin, que aconselha centenas de candidatos a ator.

"É fundamental que você aprenda a lidar com a rejeição, porque ela faz parte da vida. Mas quando for fazer um teste ou se candidatar a um papel, não perca tempo pensando se vai ser rejeitado. Prepare-se o melhor possível, acredite no seu talento, transmita essa segurança. Sabendo, porém, que, ainda assim, você poderá ser rejeitado daquela vez e aceito numa próxima. Mas siga em frente, não se deixe bloquear pelo medo. Não existe um ator vivo – mesmo os maiores – que não tenha ouvido um 'não' alguma vez na vida."

☺ ☺ ☺

Em uma pesquisa feita com funcionários de empresas de alta tecnologia, constatou-se que aqueles que gastam muito tempo pensando que vão perder seu emprego tendem a ser 17% menos produtivos do que aqueles que raramente ou nunca se preocupam com isso.

Verbeke e Bagozzi, 2000

48

Automotivação funciona até certo ponto

"Diga o que você deseja" é o que nos ensinam todos os palestrantes motivacionais.

O que você quer? Declare que vai conseguir. Quer melhorar a forma física? Declare que vai melhorar. Quer um emprego melhor? Declare que vai encontrar.

Os palestrantes garantem que essas declarações são decisivas para nos estimular, fortalecer, entusiasmar. Nossa disposição, imagem e auto-estima irão melhorar.

Infelizmente, os efeitos são temporários e superficiais. Quando o esperado não acontece, ficamos frustrados. E quando fazemos nossas próximas declarações, é com menos convicção e mais desconfiança.

O sucesso não vem de truques de automotivação nem de declarações de resultados desejados, mas de um empenho real e planejado.

☺ ☺ ☺

Quando David Cynar foi atropelado por um carro aos 15 anos, os médicos lhe disseram que ele corria o risco de perder uma perna. Naquele momento, David achou que sua vida estava arruinada.

Hoje, aos 30 anos, David acredita que as dificuldades por que passou depois do acidente salvaram sua vida. Naquela época, ele atravessava uma fase de muito desânimo, não se importava com ninguém e não tinha motivação para nada.

O acidente que prejudicou sua força física fez com que ele buscasse força no seu íntimo para seguir em frente. Não foi um processo mágico. No contato com outros portadores de deficiências e nas conversas com o psicólogo que o acompanhava, David foi descobrindo novas dimensões da vida. "Foi uma lição de humildade, percebi que a vida estava me dando uma segunda chance. Mas superar os desafios colocados pelo acidente dependeu apenas da minha autoconfiança e determinação."

Durante o processo de reabilitação, David começou a fazer caratê para ganhar força na perna. Com os exercícios diários, ele acabou se transformando num atleta, além de ter se tornado uma pessoa extremamente disciplinada, determinada e capaz. "Dedicação e compromisso têm de vir de dentro, mas, quando você adquire essas qualidades, pode conseguir tudo o que deseja." Hoje, David se divide entre múltiplas paixões: vendedor, produtor de música country, lutador faixa preta de caratê e conselheiro voluntário para adolescentes.

"Aprendi, da forma mais difícil, que pensamentos e ações positivas significam uma vida mais saudável, feliz e bem-sucedida – e adoro dividir isto com todos que posso."

☺ ☺ ☺

Para 87% das pessoas, declarações de mudança produzem uma melhora temporária na auto-imagem, seguida, em pouco tempo, por decepção. Isso faz com que a nossa imagem pareça pior do que era antes da declaração.

Polivy e Herman, 1999

49

Fale devagar e com clareza

Sempre ficamos com a sensação de que o tempo para dizer o que queremos é reduzido. Por isso, nossa tendência é atropelar palavras e pensamentos, tentando transmitir de uma vez tudo o que desejamos.

Só que comunicar não é dizer tudo, mas fazer-se entender pelo outro. Bons palestrantes dominam uma prática simples, mas eficiente: eles falam mais devagar do que os outros, não num ritmo que dê sono, mas de forma que o ouvinte tenha tempo de absorver o que é falado.

☺ ☺ ☺

O jornalista David Brinkley ficou famoso por sua locução perfeita.

Ele foi pioneiro na apresentação dos noticiários de TV e cresceu na carreira até tornar-se âncora de um dos mais importantes telejornais americanos. Encontrou o ritmo certo para comunicar-se com os espectadores, criando uma enorme empatia com eles.

Ele credita grande parte do seu sucesso a um conselho simples de um velho professor. "Ele me disse: 'Quanto mais rápido você falar, menos as pessoas irão entender e acabarão se desinteressando.' E eu segui o conselho."

☺ ☺ ☺

As pessoas afirmam que os palestrantes que falam mais devagar são 38% mais compreensíveis do que aqueles que falam mais rápido.

Peterson, Cannito e Brown, 1995

50

Quer apoio? Faça por merecer!

Quando alguém na empresa é promovido, os colegas oferecem apoio e congratulações sinceras, ou resmungam e reclamam? Isso depende de considerarem que a promoção foi ou não merecida.

Para manter a solidariedade e a colaboração de seus colegas de trabalho durante o seu crescimento na empresa, é necessário demonstrar para eles o quanto você trabalhou antes e depois da promoção, e o seu nível de competência e dedicação. Se eles acharem que você não mereceu a promoção, não conte com seu apoio e respeito.

☺ ☺ ☺

Sterling e Shannon Sharpe cresceram jogando futebol americano juntos em uma fazenda na Geórgia.

Sterling, o irmão mais velho, foi recrutado pelo time da Universidade da Carolina do Sul e fez uma carreira brilhante, chegando a integrar a Liga Nacional de Futebol Americano – NFL. Shannon não foi tão bem e acabou jogando num time menor. Batalhou para entrar na NFL e foi recrutado em último lugar.

Um problema no pescoço interrompeu a ascendente carreira de Sterling, impedindo-o de jogar. Shannon continuou a empenhar-se, até que também se tornou reconhecido como um dos melhores jogadores.

O time de Shannon ganhou três torneios consecutivos, tendo

ele como destaque. Quando perguntaram a Sterling se estava com ciúmes do irmão, ele respondeu: "É claro que sinto por não poder mais jogar. Mas é muito fácil torcer por meu irmão, porque sei o que isto representa e o quanto ele se esforçou para obter o sucesso. Reconheço nele a mesma persistência, o mesmo empenho, a mesma atitude ética que sempre procurei adotar e por isso, sinceramente, me alegro por ele."

☺ ☺ ☺

Oito entre dez pessoas irão apoiar os amigos que galgarem postos acima dos delas e aceitarão até mesmo o crescimento de colegas de quem não são tão próximas se sentirem que a promoção foi baseada em dedicação e competência.

Feather, 1999

51

Se perder o controle, você acabará desistindo

Algumas pessoas desistem assim que um obstáculo cruza seu caminho. Outras persistem em seguir uma meta depois de anos de frustração e fracasso.

Qual é a principal diferença entre elas? Não é competência nem paciência. Na verdade, é a capacidade de manter o controle.

Aqueles que não assumem a responsabilidade por escolher suas metas e persegui-las tendem a acreditar que os resultados são aleatórios. Para eles, ter sucesso é como ganhar na loteria, uma pura questão de sorte, não importando o quanto houve de esforço e talento investido. Por pensar assim, não se empenham tanto na busca de seus desejos ou objetivos.

Ao contrário desses, os perseverantes reconhecem que são os únicos responsáveis por definir uma meta e persegui-la, cumprindo cada etapa necessária, revendo os erros para corrigi-los, alegrando-se com cada acerto. Quando você mantém o controle, tudo o que faz adquire importância, nada é improvisado ou ao acaso. Por isso, você não desiste.

☺ ☺ ☺

Darnell Ellis, um guitarrista de blues, tinha uma carreira promissora quando se deixou dominar pelo álcool. A partir daí, sua vida tornou-se uma sucessão de problemas, e ele entrou numa tal decadência que acabou sendo despejado do apartamento em que morava e, na sua ausência, o proprietário vendeu seus pertences e sua preciosa guitarra.

Darnell perdeu casa, amigos, carreira e caiu em depressão.

Os assistentes sociais que o ajudaram a sair das ruas tiveram que enfrentar uma enorme dificuldade para livrá-lo do vício e levantar o seu moral.

Uma assistente social mais sensível percebeu o quanto a guitarra era fundamental na vida de Darnell. Fez-lhe então uma proposta: planejariam juntos a melhor maneira de adquirir o instrumento. Darnell fez pequenos serviços, tocou em bares modestos com uma guitarra emprestada, submeteu-se aos maiores esforços – inclusive abandonar o álcool – para juntar a quantia necessária para adquirir uma nova guitarra. A meta minimizava os sacrifícios e o estimulava a prosseguir.

"Eu tinha desistido de viver até comprar a guitarra", explica Darnell. "Quando uma pessoa toca um instrumento, ela se sente no controle das coisas. A guitarra se torna uma extensão dela que cria beleza, e isso dá um enorme prazer."

Com a guitarra nas mãos, Darnell ganhou um novo objetivo e uma paixão. A guitarra se tornou símbolo de esperança. "No final de cada túnel existe uma luz. Acho que agora vi a luz. Então, estou vivendo."

☺ ☺ ☺

Pesquisadores compararam estudantes com talentos similares e descobriram que a diferença entre aqueles que mantêm a disposição para perseguir suas metas e aqueles que desistem é o senso de controle. Aqueles que têm controle sobre suas vidas e seus projetos recebem notas bem mais altas do que aqueles que deixam as coisas ao acaso.

Mendonza, 1999

52

Faça o tempo trabalhar a seu favor

Decidir como gastar dinheiro sem ficar com dívidas é uma questão de contabilidade. Se você quiser gastar mais na casa, terá que gastar menos no carro. Cada despesa adicional tem de ser contrabalançada com uma redução igual nos outros gastos.

Algumas pessoas vêem a vida da mesma forma. Se querem uma carreira, sacrificam a vida familiar. Se querem ter uma família, acham que têm de sacrificar a carreira.

Mas essa equação que se aplica ao dinheiro não pode servir para a vida. Seu tempo não é exatamente a contagem dos minutos. Ele é medido pelo compromisso que você mantém com cada setor da sua vida, pela dedicação com que desempenha cada função, pelo afeto que coloca em suas ações, pela eficiência com que as realiza. Tempo não é só quantidade de minutos, mas a qualidade como cada minuto é vivido.

Vale a pena pensar na melhor maneira de usar seu tempo. Livre-se de compromissos inúteis, priorize o que for de fato mais importante, dedique-se o mais plenamente possível ao que estiver fazendo e você verá como o tempo passa a trabalhar a seu favor.

☺ ☺ ☺

Douglas Theodorff é um brilhante advogado, famoso por defender grandes causas. É também conhecido como benfeitor, pois reserva uma parcela de seu tempo profissional para ajudar aqueles que não podem pagar.

"Eu quase me considero um assistente social. Adoro resolver os problemas das pessoas. Tenho um talento que gosto de compartilhar. Se posso ajudar as pessoas que não têm meios para contratar um advogado, faço isso com alegria."

Os outros se perguntam como ele arranja tempo para tudo isso e ainda joga golfe toda a semana e leva os netos para passear. Ele diz que, apesar de sua carga de trabalho ser grande, não chega a ser exaustiva porque ele se organiza, obedece um estrito planejamento de tempo e dita algumas regras. "Quando você fica mais velho, é fácil estabelecer suas prioridades e dizer não aos convites e demandas que não lhe convêm, mas treinei isso desde cedo. Deixo às vezes de pegar uma causa que me traria muito dinheiro para me dedicar a causas menores, onde eu me engajo de corpo e alma e que me dão imenso prazer. Procuro, na medida do possível, ser dono do meu tempo", ele explica.

☺ ☺ ☺

A quantidade de horas despendidas trabalhando ou pensando sobre o trabalho e de horas consumidas com a sua família não se traduz em conquista ou satisfação. Na verdade, a qualidade dessas horas – se são estressantes ou relaxantes, se trazem prazer ou desagrado, se são usadas de forma dispersiva ou concentrada – é o fator mais significativo para produzir satisfação tanto na vida familiar quanto na profissional.

Brown, 1999

53

Você não precisa ser o primeiro da turma

Quem não se lembra do seu primeiro boletim de notas escolares? Nós levávamos essas avaliações para casa, muitas vezes temerosos da reação de nossos pais.

Desde pequenos aprendemos a importância dos resultados. Ganhávamos presentes quando tirávamos notas altas ou ficávamos proibidos de ir ao cinema quando as notas eram baixas. Bom comportamento era motivo de sorrisos e aplauso, enquanto bagunça no quarto era sinônimo de cara fechada dos pais ou castigo. Muito cedo descobrimos que precisávamos ser os melhores naquilo que fazíamos.

Pela vida afora continuamos a carregar conosco essa necessidade muitas vezes desesperada de aprovação. Ainda hoje perseguimos o sucesso para obter aprovação dos pais, de nossos parceiros, amigos, colegas ou supervisores.

Mas tirar boas notas para agradar aos pais, destacar-se na faculdade apenas para responder às expectativas dos outros e ser brilhante na carreira para receber aplausos pode dar um prazer passageiro, mas não faz a real felicidade de ninguém.

Depender da aprovação dos outros é desligar-se de si mesmo, é desconhecer seu próprio desejo e sua capacidade de auto-avaliação. É abrir mão do seu verdadeiro valor.

☺ ☺ ☺

Desde cedo, Ann Ortiz demonstrou uma enorme capacidade de expor seu pensamento. Cumpriu sua carreira escolar com as melhores notas, foi líder da turma e oradora na formatura da faculdade.

Seus pais mostravam-se extremamente orgulhosos dela, mas Ann sentia uma insatisfação inexplicável ante tantos sucessos. Um dia, ela percebeu que não acreditava no amor de ninguém e que tinha a sensação de só ser amada por causa de seu desempenho brilhante. A necessidade de aprovação tornara-se tão intensa que, sempre que falava algo, Ann instintivamente buscava aceitação no olhar dos outros.

Tomou então uma atitude drástica. Mudou-se para outro estado, onde não era conhecida e, com um pequeno capital acumulado, criou a Ann's Turquoise, uma loja de roupas, jóias e artesanato absolutamente originais.

Em breve, Ann formou um círculo de amigos que acompanharam sua longa e paciente trajetória até tornar seu negócio viável. Atualmente Ann se deleita em criar roupas e jóias e em pesquisar artesanato nos lugares mais remotos. Adora o contato com os clientes, cultiva seus amigos e encontrou uma paz e uma satisfação que não conhecera nos tempos de grande sucesso.

A loja de Ann está indo melhor do que ela podia imaginar. Mas ela diz que não quer expandir demais o negócio para não perder a tranqüilidade que conquistou. "Como é bom voltar para o aconchego de minha casa à noite, satisfeita comigo e com minha vida, constatando que não dependo mais da aprovação dos outros para saber qual é meu desejo." O seu negócio não precisa ser o maior ou o melhor do mundo para preencher o seu sonho.

☺ ☺ ☺

Nove entre dez pessoas sentiram, quando crianças, alguma necessidade de mostrar competência para ganhar ou merecer o amor dos pais. Para a maioria, este padrão se mantém na fase adulta, quando continuam usando suas carreiras para obter aprovação das pessoas amadas, apesar da ansiedade e decepção que este padrão possa produzir.

Jones e Berglas, 1999

54

Aguce seu apetite pelo sucesso

O apetite é um dispositivo humano regulador e instintivo. Não precisamos fazer nada para criá-lo, pois já existe em nós. Nascemos com o apetite necessário para nos mantermos vivos.

A motivação para a realização é também um dispositivo humano regulador e instintivo. Não precisamos fazer nada para criá-la, pois já existe em nós. Nascemos com a motivação necessária para nos mantermos vivos.

Apesar de a motivação e o apetite serem inatos e instintivos, nós podemos controlá-los e mudá-los. Sabemos como regular o apetite quando queremos emagrecer: se, por exemplo, bebermos dois copos grandes de água antes da refeição, iremos reduzir nosso apetite.

Da mesma forma, podemos eliminar ou aguçar nosso apetite pelo sucesso. Se você desenvolver uma atividade que não lhe dê prazer, ou achar que as coisas caem do céu sem esforço, irá reduzir sua motivação para o sucesso. Mas, se estiver empenhado em algo de que realmente goste, sua motivação crescerá.

Cultive seus instintos na direção que você gostaria de seguir, e a sua motivação crescente fará com que a conquista do sucesso se torne mais fácil.

☺ ☺ ☺

"Eu era o tipo de estudante que desapontava os professores, porque eles acreditavam que eu podia ser um bom aluno, mas eu nunca tentava o suficiente. Durante todo o ensino médio, fui um estudante medíocre, indiferente às aulas de qualquer matéria", diz Herbert Brennan.

Segundo Herbert, ele quase não conseguiu ingressar na faculdade, onde se classificou por um triz.

Por volta do segundo ano de faculdade, tudo mudou. "Eu me lembro perfeitamente daquele dia. Estava na aula de história ouvindo o professor e, de repente, me vi fascinado com o que ele dizia. Assim que a aula acabou, fui correndo para a biblioteca pegar o livro que ele tinha indicado e percebi como me sentia feliz. Estava ansioso para ler o livro."

Herbert se graduou com louvor em história, fez o curso de pós-graduação e acabou se tornando um excelente professor. "Eu me tornei um bom aluno quando descobri um assunto que me interessava. A partir daquele momento, passei a usar todo o meu potencial e pude construir uma carreira de sucesso."

☺ ☺ ☺

Estudos aprofundados sobre motivação descobriram que as pessoas são capazes de reduzir ou aumentar seu nível de motivação em 58% durante sua vida profissional, dependendo das condições em que se encontram.

Alderman, 1999

55

Você é diferente de todos os outros

Ligue a TV e verá outro dia de terror e violência. Leia o jornal e tomará conhecimento do índice crescente de desemprego. São só desgraças e desacertos que, inevitavelmente, nos contagiam e moldam nossa visão do mundo.

Os noticiários não tratam de pessoas que tiveram um grande dia e retornaram felizes para as suas famílias. Também pouco se fala sobre empresas que se mantêm saudáveis ou sobre gestos de generosidade ou doação.

Não deixe que os fatos negativos lhe dêem uma imagem desanimadora das possibilidades e perspectivas para a sua vida. Nós somos influenciados pelo ambiente em que vivemos, mas isso não quer dizer que não temos alternativas. Cada pessoa tem um valor individual e uma maneira diferente de encarar o mundo: onde alguns só vêem possibilidades de fracasso, outros enxergam oportunidades para mudança e superação.

☺ ☺ ☺

Anthony Johnson, professor de física do Instituto de Tecnologia de Nova Jersey, trabalha com alta tecnologia e é um cientista famoso em seu meio.

Anthony é filho de um motorista de ônibus e foi criado numa família em que a maioria dos homens trabalhava como motorista de ônibus ou de trem. Quase todos os seus conhecidos eram pessoas que faziam das tripas coração para pagar as contas e ter um teto para morar.

Anthony descobriu seu talento para ciências quando estava no ensino médio, e, apesar da oposição da família e do ceticismo dos amigos, batalhou para conseguir uma bolsa na universidade e na pós-graduação. Agora ele é cotado como um físico de destaque de sua geração.

"É preciso persistência, confiança e coragem para ir contra a opinião dos outros e afirmar-se como uma pessoa diferente. O mais cômodo é seguir o caminho dos outros. Se não dermos exemplo, os jovens poderão deixar de seguir sua vocação. Muitas pessoas desistem dos seus sonhos porque há um clima de derrota e acomodação ao redor delas."

Anthony explica que não chegaria aonde chegou se não houvesse grandes pessoas investindo nele e ajudando-o a enxergar o que ele era capaz de fazer. "É por isso que tenho imenso gosto em ser professor. Quero transmitir para a próxima geração que temos um papel a cumprir no mundo. Porque o que fazemos pode mudar o futuro."

☺ ☺ ☺

As pessoas tendem a ser sete vezes mais otimistas sobre seu futuro pessoal do que sobre o futuro da sua geração.

Arnett, 2000

56

Preveja a irracionalidade

Nós entendemos perfeitamente a natureza de um problema e definimos cuidadosamente a solução ideal. Como nossa proposta é lógica e foi exposta com a maior clareza, achamos que todos deveriam compreendê-la, sem qualquer discordância.

Infelizmente, nós nos enganamos ao achar que as pessoas são racionais o tempo todo. "Não há como se opor a essa ótima idéia", pensamos. Mas, para nossa surpresa e desapontamento, a experiência nos mostra que aqueles que nos cercam são capazes de tomar decisões irracionais, freqüentemente geradas pelo medo, pela insegurança e sem nenhuma base na realidade.

Leve isso em conta quando expuser suas idéias e tenha paciência para repetir uma explicação quantas vezes for necessário. E, mesmo que as pessoas pareçam ter entendido, certifique-se de que de fato entenderam.

☺ ☺ ☺

John Grant descobriu qual era seu problema de comunicação com os enfermeiros do setor que chefiava num hospital público ao ver em dois jornais da TV a mesma notícia. Tratava-se de uma greve de operários que fora brutalmente reprimida pela polícia. No primeiro apareceu um locutor descrevendo detalhadamente e com a maior clareza o que ocorrera, seguido de comentaristas que analisaram o fato. No segundo, as imagens tiveram mais destaque do que as falas. Apareceram operários sendo espancados e, em seguida, houve o depoimento de um velho e digno operário que, com a voz embargada, dizia que em todos os seus muitos anos de vida nunca se sentira tão humilhado. A primeira notícia deixou John informado, enquanto a segunda emocionou-o profundamente e fez com que se solidarizasse com a causa dos operários.

O problema que John vinha enfrentando na enfermaria que comandava era a higiene. Apesar de todas as advertências, palestras e recomendações, era como se os enfermeiros não acreditassem na possibilidade de uma infecção hospitalar e se descuidassem da limpeza. John resolveu então apelar para outros recursos. Encomendou a uma agência de publicidade uma série de folhetos e cartazes em que o micróbio era um personagem com nome que falava com os enfermeiros e agia de forma caricatural, saindo da sujeira que eles deixavam, das mãos não lavadas, dos instrumentos não esterilizados com o cuidado necessário. As falas eram poucas, mas as imagens eram fortes e expressivas.

"Foi o que resolveu o problema", conta John. "Eu não podia entender como eles não mudavam de atitude com explicações tão claras, até que descobri que o emocional deles era um caminho muito mais eficiente que o racional."

☺ ☺ ☺

Uma pesquisa sobre o processo de contratação de profissionais mostra que existe uma preocupação, baseada no medo, das conseqüências negativas de admitir uma pessoa excessivamente talentosa. Esse medo, completamente irracional e sem nenhum fundamento estratégico, é um fator que interfere em mais de 20% das decisões de contratação.

Baker, 2000

57

O sucesso não é mágico

Assista a um filme ou programa de TV e veja o que torna as pessoas felizes e bem-sucedidas. Normalmente, é algum acontecimento ou qualidade quase mágico.

Na vida real, porém, a principal diferença entre as pessoas que alcançaram o sucesso e as que não alcançaram é menos excitante ou misteriosa. O segredo é simples, mas importante: manter-se plenamente consciente. As pessoas que tratam qualquer aspecto da vida com atenção, bom senso, organização, consistência e persistência têm enorme chance de ser bem-sucedidas.

☺ ☺ ☺

No início dos anos 50, Lillian Vernon gastou quinhentos dólares em seu primeiro anúncio. Ela oferecia cintos e sacolas com monogramas. Quando acabou de contabilizar a primeira seqüência de pedidos, tinha conseguido um lucro de trinta e dois mil dólares.

Cinqüenta anos depois, Lilian Vernon continua vendendo presentes e itens para casa e tem expandido suas vendas de forma consistente. Sua empresa agora gera mais de cinqüenta milhões de dólares por ano e é umas das cinqüenta maiores companhias americanas cujo dono é uma mulher.

Lillian teve seus momentos de desânimo: "Encontrei pessimistas ao longo do caminho, mas mantive o firme propósito de não ser derrotada. Hoje tenho certeza de que para ter sucesso só precisamos de bom senso, inteligência e disposição para o trabalho."

O que, para a empresária de 75 anos, equivale a seis dias de trabalho por semana.

☺ ☺ ☺

Um estudo feito entre formandos do curso de administração mostrou que um empregado consciente de seus afazeres e com bom senso teria cinco vezes mais chance de agradar seu surpevisor do que um empregado inteligente.

Fallon, Avis, Kudisch, Gornet e Frost, 2000

58

Não se deixe paralisar pela síndrome do "e se..."

Tomamos decisões, algumas extremamente importantes, todos os dias. Tentamos fazer a melhor escolha possível com base nas informações disponíveis no momento.

Mas nem sempre ficamos satisfeitos com as decisões tomadas. Muitas vezes essa insatisfação não está relacionada ao resultado que alcançamos, mas sim à nossa dúvida sobre se agimos certo ou não. Não paramos de nos perguntar "e se...". Como as coisas teriam se desenrolado "se" tivéssemos tomado outro caminho? E se eu tivesse ficado no meu antigo emprego em vez de aceitar a proposta da outra empresa? E se tivesse escolhido outra profissão?

Como essas hipóteses levam a respostas imaginárias, são pura perda de tempo. O que aconteceu antes, as decisões baseadas no que éramos, no que pensávamos, no contexto em que vivíamos, é passado. Não devemos desvalorizar as decisões tomadas. O melhor que podemos fazer é tentar sempre aprender com a experiência, avaliar a situação real, planejar o futuro, consultar pessoas confiáveis e tomar a decisão que nos parecer mais acertada.

☺ ☺ ☺

A primeira experiência de Miguel Arteta na indústria cinematográfica foi desagradável e intimidante.

"As pessoas se submetem a tudo para produzir seu primeiro filme. Existe uma pressão constante e esmagadora. Cada decisão é tomada para agradar os produtores. Você se pergunta o tempo inteiro qual o melhor caminho a seguir", explica Miguel.

Os diretores quase vão à loucura com tantos "e se...". Será que vale a pena mudar aquele roteiro em que você trabalhou durante anos a fio para conseguir o financiamento necessário? E se não fizer as alterações sugeridas, será que o filme será um fracasso? E se recusar a protagonista sugerida pelo estúdio, será que sua carreira estará com os dias contados?

Miguel resolveu seguir seu desejo e fazer o filme à sua maneira. Sem mudanças ou concessões para agradar aos produtores. "Decidi aceitar dinheiro apenas das pessoas que respeitasse e só ouvi as opiniões que achei enriquecedoras para o projeto."

Não foi fácil. Ele teve que reduzir os custos da produção, mas finalmente conseguiu apoio para fazer seu aclamado *Star Maps*. "Esse filme só se tornou possível quando parei de me perguntar se deveria ter tomado essa ou aquela decisão." Não existem decisões certas ou erradas, existem as decisões que tomamos.

☺ ☺ ☺

As pessoas que passam a maior parte do tempo pensando no que teria acontecido em suas vidas se tivessem tomado outra direção ou que ficam paralisadas com medo de escolher o caminho errado sentem 46% menos satisfação com as decisões tomadas em sua carreira do que aquelas que não perdem muito tempo imaginando o que poderia ter sido diferente.

McGregor, 1999

59

O sucesso é relativo

Você está se saindo bem? Na média? Abaixo da média? No fundo, você sabe a resposta. É obvia, não é mesmo?

Mas como você sabe a resposta? De onde ela vem?

Esses julgamentos, na verdade, são inteiramente relativos. Em geral, nós nos consideramos bem-sucedidos quando nos comparamos com aqueles que conseguiram menos. E fracassados quando olhamos para aqueles que conseguiram mais.

Nossas referências têm um peso tão grande na nossa percepção de sucesso ou fracasso quanto as nossas realizações.

☺ ☺ ☺

Como sempre, Roger chegou ao escritório às oito em ponto. Ele trabalhava há vinte e quatro anos como contador na mesma companhia.

Antes do almoço, Roger foi chamado ao escritório central da empresa e informado de que seus serviços não seriam mais necessários.

"Quando alguma coisa assim acontece, você fica arrasado. Não importa o quanto esteja preparado", lembra-se Roger.

O sentimento de perplexidade foi seguido pela negação. "Isto não está acontecendo comigo", pensou Roger. Sentindo-se desvalorizado e sem perspectivas de arrumar um outro emprego, Roger ficou extremamente deprimido.

Ele leu artigos e livros de auto-ajuda sobre como lidar com a demissão. Também descobriu histórias de homens que ficaram tão devastados com a perda do emprego que continuavam a se vestir e a sair pela manhã como se estivessem indo para o escritório por falta de coragem de contar a verdade à família e aos vizinhos.

Com o tempo, Roger começou a ver sua situação de uma forma diferente. Ele ainda sofria com a rejeição, mas percebeu que uma porta se abriu para ele e que, afinal, depois de tantos anos na mesma função, ele perdera a motivação e o entusiasmo pelo trabalho na empresa. Fazia-o rotineiramente, mas sem alegria. Ele não teria coragem de pedir demissão, e foi necessário que a empresa tomasse a iniciativa.

Roger decidiu fazer trabalho voluntário, oferecendo seu talento a uma instituição voltada para profissionalização de menores carentes. O contato com as crianças trouxe uma alegria e motivação que ele há muito não sentia. "Se você acreditar que todos os acontecimentos da vida têm um sentido, vai ver quanta coisa boa nos espera pela frente. Pense nas pessoas que só interpretaram as aparentes derrotas como contratempos."

☺ ☺ ☺

Você deve imaginar que uma promoção no trabalho aumenta automaticamente a confiança e a auto-estima. Mas, na verdade, alguns estudos mostram que cerca de metade dos gerentes recém-promovidos na indústria tecnológica sente insegurança e dúvidas sobre sua capacidade e sua nova função. Psicólogos acham que a promoção pode diminuir a autoconfiança, porque, em vez de ser o melhor num grupo de profissionais de nível médio, a pessoa promovida passa a se comparar com outras mais experientes.

Cassirer e Reskin, 2000

60

Procure descobrir o valor das pessoas

Quando conhecemos as pessoas, nossa tendência natural é avaliá-las, criando uma impressão imediata de suas habilidades e potencialidades. É uma pena, pois nos prendemos a uma conclusão vaga e apressada, e nem sempre a revemos. Isso quer dizer que podemos facilmente supervalorizar ou desmerecer as pessoas, ignorando seu talento, com base em um julgamento superficial.

Muitas pessoas procuram valores verdadeiros em quem está à sua volta, mas isso não é simples. Certos valores e habilidades não são facilmente percebidos à primeira vista, sendo necessários uma convivência e uma atenção maiores para serem descobertos.

☺ ☺ ☺

Durante anos Jane se perguntou se ninguém iria lhe pedir que desenvolvesse um trabalho mais desafiador do que o que exercia. Seu trabalho consistia em monitorar as linhas de montagem em um fábrica de cosméticos. A cada hora, ela tomava nota do nível de produção de cada linha e enviava as informações para o gerente da fábrica.

A tarefa era extremamente repetitiva e sem qualquer criatividade. Jane a realizava com a maior competência, apesar de sua crescente insatisfação. Algumas vezes tentou fazer observações que contribuíssem para a produtividade, mas não lhe deram ouvidos. Essa não era a sua tarefa. Ela tinha apenas que contar.

Mas, durante cinco anos, Jane tomou nota de centenas de fatores que influenciavam o ritmo do trabalho. Por exemplo, se o volume do rádio estava muito baixo, os operários conversavam mais entre si, diminuindo o ritmo da linha de produção.

Numa festa de fim de ano, ela teve oportunidade de conversar com o gerente-geral, que lhe perguntou, casualmente, como as coisas estavam indo, esperando uma resposta genérica. Ele quase caiu para trás quando Jane lhe mostrou que a produção diminuíra 2% e ofereceu uma lista das três causas mais prováveis.

Jane finalmente foi promovida para uma função na qual pôde usar seu talento, que havia sido desperdiçado por tanto tempo.

☺ ☺ ☺

Pesquisadores descobriram que a tendência de avaliar rapidamente as habilidades de outras pessoas é vista por muitos como uma capacidade valiosa. Na verdade, este hábito reduz a produtividade e aumenta a rotatividade. Uma das características dos homens de negócios bem-sucedidos, de acordo com 61% deles, é a disposição de investir nos empregados, avaliando periodicamente o potencial de cada um e ajudando-os a alcançar suas metas.

Boyer, 1999

61

Busque sua motivação onde você possa encontrá-la

As pessoas realmente empenhadas fazem bem as tarefas a que se propõem.

Por que as pessoas se empenham? O que as leva a isso? São muitas as respostas.

Algumas pessoas são movidas pelo espírito competitivo. Outras, pela necessidade de serem aprovadas e reconhecidas. Outras, ainda, por quererem dar um conforto especial às suas famílias, ou simplesmente para acumular riqueza e alcançar fama.

Use aquilo que motivou você para se engajar com alegria e prazer no trabalho que desenvolve.

☺ ☺ ☺

"Eu prefiro trabalhar como faxineira", foi como Lorna, de 70 anos, reagiu quando seu médico disse que ela precisava se exercitar regularmente. Lorna afirmou que fazer ginástica a matava de tédio.

O médico percebeu que ela dificilmente se animaria a seguir um programa de exercícios sozinha. Então, ele apresentou Lorna à professora de ginástica da Faculdade da Terceira Idade da Universidade de Wisconsin.

Lorna, que, nessa época, vivia bastante isolada, encantou-se com o grupo de colegas e, rapidamente, tornaram-se amigas. "Como queria estar com elas, eu não perdia uma aula. A ginástica passou a ser um momento alegre de encontro que se multiplicava em lanches, participação em palestras sobre os mais variados assuntos e excursões."

Com o passar do tempo, os benefícios trazidos pelo exercício passaram também a compensar o esforço. "Quando comecei com esse grupo, eu tinha um problema de coluna e acabara de fazer uma cirurgia no joelho. Tudo isso me fazia sofrer e me tirava a disposição. Agora recuperei minha força. Posso caminhar e dançar como quando era jovem, e isto é fantástico."

☺ ☺ ☺

Pesquisas nacionais mostraram que fatores como inteligência, habilidade e salário são menos importantes do que o nível de motivação para prever sucesso na carreira. Enquanto o nível de motivação é altamente correlacionado com o sucesso, a origem da motivação varia muito entre as pessoas e não está relacionada com o sucesso.

Bashaw e Grant, 1994

62

Especialize-se

Membros do Congresso votam milhares de questões por ano. Assuntos complexos e vitais para a nação, temas em que todo mundo pensa ou em que ninguém nunca havia pensado antes.

Como fazem isto? Como podem lidar com tantas questões diferentes?

Eles confiam nos especialistas. Convocam pessoas especializadas em áreas particulares para assessorá-los nas várias questões a serem votadas.

A vantagem em ser um especialista é ter habilidades específicas ou conhecer profundamente determinados temas necessários para resolver problemas ou ajudar outras pessoas a encontrar soluções. O especialista valoriza tanto o seu saber, que não hesita em chamar outro especialista quando percebe que o desafio colocado extrapola sua competência.

Escolha uma área em que você tenha muito interesse e aprenda tudo o que puder sobre ela. Isso lhe dará prazer e fará de você uma pessoa respeitada pelo valor de sua contribuição.

☺ ☺ ☺

Há 27 anos, Fred Wilber vende discos antigos e raros na sua loja, em Vermont, e tornou-se um especialista no assunto. Quando a Internet começou a se expandir, ele se preocupou, temendo que a venda a varejo das gigantes da rede acabasse com o seu negócio.

Por isso, decidiu ter uma página na Internet. Como não possui recursos nem vontade de lutar contra as poderosas, Fred projetou a sua loja virtual para ser igual à tradicional. Ela oferece itens que refletem o seu gosto peculiar e o seu conhecimento incomparável a respeito das trilhas sonoras de filmes.

Ele usou sua especialidade para diferenciar seu negócio. "Você pode comprar o último lançamento em CD em qualquer lugar, mas quem pode orientá-lo em busca do que foi produzido no correr dos anos? Quem vai ajudá-lo a achar aquela música que encantou sua juventude, ou a trilha sonora de um filme que caiu no esquecimento? Eu posso fazer esse tipo de coisa que ninguém mais faz."

Ao investir naquilo que faz de melhor, Fred viu suas lojas, virtual e física, aumentarem as vendas em 10% ao ano e sua clientela crescer em 20%.

☺ ☺ ☺

Sessenta e oito por cento das pessoas que se consideram bem-sucedidas dizem que há pelo menos uma área em seu negócio em que elas são especialistas.

Austin, 2000

63

Tenha coragem de perguntar

Qual seria a sua reação se o seu chefe desse instruções que todos parecessem entender menos você?

A maioria das pessoas responderia que a tendência seria esconder sua ignorância dos colegas de trabalho e fingir que havia entendido. Isso significa que, para a maioria, esconder dos outros que necessita de ajuda é melhor do que aprender o que realmente é preciso saber.

O que é mais importante e inteligente: enganar os seus colegas e seu chefe, fazendo-os acreditar que você sabe tudo, ou esclarecer o que não foi entendido para desempenhar sua função da melhor maneira possível?

☺ ☺ ☺

Fui uma vez a uma palestra proferida por um famoso psicanalista. O auditório estava lotado e havia grande expectativa porque ele falaria sobre um tema de interesse universal, a sexualidade. Para minha perplexidade, eu não consegui acompanhar o raciocínio do famoso psicanalista. Fiquei sentado durante mais de uma hora, esforçando-me para entender a terminologia complicadíssima que ele usava e para não me perder em meio a tantas citações de autores diferentes.

Quando a palestra terminou, a platéia foi convidada a fazer perguntas. Fez-se um silêncio constrangedor, e eu me encolhi, tentando em vão pensar em alguma questão inteligente. De repente, um senhor levantou a mão: "Eu gostaria de saber se esta palestra era destinada ao grande público ou se era apenas para especialistas." O psicanalista sorriu condescendente: "Não, a palestra era aberta ao público em geral."

O senhor sorriu de volta e disse com a maior simplicidade: "Pois então eu desejo saber se o público em geral entendeu o que foi dito, pois eu não compreendi nada." A reação da platéia foi imediata: todos riram às gargalhadas e o aplaudiram entusiasticamente por ter tido a coragem de ser o porta-voz da frustração geral.

Aprendi nesse dia uma lição da maior importância, que aplico até hoje em sala de aula. Toda vez que começo a dar um curso, peço aos alunos que não deixem de perguntar e tirar suas dúvidas. Explico que não é vergonha não entender e que, se isso acontecer, não quer dizer que eles sejam burros ou limitados. Talvez o erro seja do professor, que não está sendo claro o bastante para se fazer entender. E insisto com eles que, se fingirem entender um ponto hoje, provavelmente terão muito mais dificuldade para acompanhar o desdobramento dessa matéria nas aulas seguintes e podem até acabar sendo reprovados por causa de um orgulho bobo. Isso sim é falta de inteligência.

☺ ☺ ☺

Pesquisadores descobriram uma mudança fascinante que acontece nas escolas. Quando os alunos são pequenos e não entendem uma questão, perguntam com a maior espontaneidade. Mas à medida que crescem e passam a competir uns com os outros, os estudantes, especialmente os mais fracos, relutam em fazer perguntas e demonstrar que não entenderam.

Butler, 1999

64

Eficiência é tudo

Em qualquer organização existe algum desperdício. Todos nós já ouvimos histórias sobre o governo federal ter comprado produtos por preços dez a quinze vezes maior do que o de mercado.

Podemos até achar graça nessas histórias – ou nos indignarmos, quando se trata do dinheiro do contribuinte –, mas temos que refletir sobre elas. Nada destrói mais rapidamente nosso estímulo do que sentir que aquilo que fazemos não tem importância. Uma organização que desperdiça recursos importantes, como os esforços de seus funcionários, é uma organização que desperdiçará sua motivação.

☺ ☺ ☺

"Bem-vindo ao futuro da lavoura", diz Michael Lydon, de Rhode Island, enquanto me leva para visitar sua estufa.

Dentro da propriedade, com apenas um quarto de acre, Michael planta a mesma quantidade de tomates que uma lavoura típica plantaria em vinte vezes mais terra. "Outros agricultores são muito dependentes das condições do tempo e do fornecimento de água. Combatem insetos e doenças, gastando tempo e dinheiro para resolver problemas que não podem controlar. Eu não tenho nenhum desses problemas."

Michael formou-se e trabalhou como engenheiro antes de se dedicar à lavoura, por isso olha a agricultura com a visão de um engenheiro, tentando diminuir o desperdício e aumentar a produção. "Posso aplicar o controle de qualidade, que conheço muito bem, na produção em estufa."

No início, Michael foi criticado por seus concorrentes, que não acreditavam naquele processo inovador. Mas, no correr do tempo, a estufa mostrou-se mais produtiva e com um índice significativamente menor de desperdício do que a lavoura tradicional. Por mais da metade do ano, seus tomates são os únicos nas prateleiras dos supermercados. E, ao contrário dos tomates que são colhidos verdes para não estragar durante a viagem, os tomates de Michael são colhidos quando amadurecem e levados diretamente para os mercados.

☺ ☺ ☺

A ineficiência e o desperdício numa corporação reduzem a satisfação e o engajamento no trabalho em 21% e aumentam o desejo dos funcionários de encontrar um novo emprego.

Melnarik, 1999

65

Suas metas devem evoluir com você

Seus objetivos devem acompanhar o seu desenvolvimento pessoal e profissional. Não devem ser inatingíveis nem facilmente atingíveis. Em ambos os casos, você perderá a motivação pela inutilidade dessas metas.

O importante é mantê-las a uma distância que nos estimule a tentar, mas perto o suficiente para que um dia possamos alcançá-las.

☺ ☺ ☺

Em 1978, Kumiko Watanuki definiu sua meta profissional: ela queria administrar a divisão iraniana da AT&T. Mas a revolução tomou conta do país, e Kumiko se viu forçada a deixar seu posto e a começar novamente no escritório de Nova York, sem saber exatamente qual seria seu objetivo para o futuro.

Ela definiu um novo plano profissional na AT&T e capitalizou as vantagens de estar de volta aos Estados Unidos. "Tive a chance de fazer um mestrado pago pela companhia e de entrar em contato com pessoas que nunca teria conhecido quando trabalhava do outro lado do mundo."

Com o passar do tempo, Kumiko percebeu que uma posição de destaque no primeiro time da empresa não parecia viável. Ela parou então para repensar suas metas e a possibilidade de atingi-las. Verificou que os conhecimentos e a experiência internacional adquiridos poderiam ser mais bem aproveitados.

Hoje, ela dirige uma empresa que presta consultoria em transações internacionais.

"Fiz um planejamento de cinco anos, definindo o que queria fazer e o que precisava desenvolver para isso. Segui este plano, com alguns ajustes no correr do percurso, e cheguei aonde queria estar. Fiz do meu plano de carreira uma parte integrante da minha vida."

☺ ☺ ☺

Uma pesquisa entre recém-graduados descobriu que 70% reagem a experiências negativas no local de trabalho, colocando-se na defensiva em relação às suas habilidades. Como evitam as críticas depois de problemas no trabalho, têm dificuldades de mudar sua forma de ver as coisas e seus hábitos, o que poderia ajudá-los a se tornarem bem-sucedidos.

Trope e Pomerantz, 1998

66

Evite o sobe-e-desce das emoções

Todo mundo gosta de grandes emoções para dar sabor ao seu dia-a-dia. Mas os picos de euforia em geral são seguidos por estados depressivos.

Uma vida de sucesso não se resume a momentos ou períodos excitantes, mas a uma carreira estável, produtiva e de realizações.

☺ ☺ ☺

Tony e Carla conseguiram superar os momentos difíceis. Ele ainda estudava, enquanto ela trabalhava para pagar as despesas, cozinhava, mantinha a casa arrumada e fazia as coisas da melhor forma possível para agradar Tony.

"Era uma batalha, mas era a nossa batalha. E continuávamos caminhando porque tínhamos um ao outro e nos sentíamos companheiros", diz Carla.

Com o diploma na mão, Tony teve uma ascensão meteórica. Os problemas financeiros desapareceram, assim como os valores de solidariedade que uniam o casal. Hoje, a vida social deles é tão intensa que mal sobra tempo para uma convivência mais íntima. As pessoas do meio em que circulam valorizam aparências, e Carla não se encaixa nesse modelo, o que leva Tony a menosprezá-la.

Carla sofre e se preocupa com a transformação do marido. "Vejo-o tenso, ansioso, insatisfeito, sempre na expectativa de agradar seus parceiros de negócio, perdendo a espontaneidade que tinha antes."

Tony se irrita com a esposa, diz que ela está acabando com sua alegria e que não o ajuda profissionalmente com seu jeito simplório.

Carla lamenta que sua vida tenha mudado tanto. Ela não quer se transformar numa outra pessoa, mais sofisticada, nem viver preocupada se é boa o suficiente para o marido e os novos amigos dele: "Que saudade do início do nosso casamento. Nossa vida era dura, mas estável."

☺ ☺ ☺

Estudos prolongados com líderes corporativos mostram que sete entre dez empresários que sobreviveram o maior período de tempo em seu trabalho vivem com equilíbrio emocional as piores e melhores situações, sem deprimir-se nas dificuldades nem entrar em euforia com os sucessos. Eles enfrentam os problemas com serenidade e objetividade, relativizam os sucessos e permanecem motivados na rotina diária.

Ingram, 1998

67

Importe-se com os outros

Quer seja no trabalho ou em casa, as pessoas que acham suas vidas satisfatórias se importam com os que estão ao seu redor. Elas dão o máximo de si para aqueles com quem convivem, preocupam-se com as outras pessoas, com suas dificuldades, seus interesses e seu bem-estar.

☺ ☺ ☺

Quando sua tecelagem pegou fogo, em dezembro de 1995, Aaron sofreu uma terrível perda. Ele tinha feito um investimento pesado, tanto financeiro quanto emocional, para manter sua empresa competitiva num mercado que pagava salários menores aos empregados para poder baixar seus preços.

Quando os arquitetos, empreiteiros e contadores somaram os custos para reconstruir o prédio, Aaron se questionou se seria capaz de manter o negócio. Ele pensava na empresa, mas pensava sobretudo nas duas mil pessoas que trabalhavam para ele – empregados que chegavam cedo e davam duro o dia inteiro, fabricando um produto de qualidade que trouxera lucros contra os prognósticos de muitos.

Aaron tomou a decisão de não apenas reconstruir a tecelagem como também usar seus próprios recursos para pagar os funcionários durante os meses de construção que viriam pela frente. A tristeza transformou-se em alegria no rosto de seus empregados quando ele lhes comunicou a decisão.

Hoje, a fábrica está reconstruída e funcionando, e os empregados de Aaron, de acordo com ele, "são os mais leais e trabalhadores que ele já conheceu".

☺ ☺ ☺

Oito entre dez altos executivos relatam que uma vida familiar saudável é crucial para a produtividade do negócio, e que o "engajamento interpessoal", a capacidade de expressar preocupações e interesses pelas pessoas ao seu redor, é crucial tanto para a vida familiar quanto profissional.

Henderson, 1999

68

Amanhã será um dia melhor (Mas como, exatamente?)

O que você quer?

O que precisa fazer para conseguir o que quer?

Quais são os seus talentos, seus pontos fracos, seus limites? Qual é o próximo passo que precisa tomar?

Livre-se da culpa, das recriminações, das idealizações. Livre-se da opinião dos outros. Quais são os fatos concretos, quais são as possibilidades reais?

A maioria de nós tem muitos planos e idéias. Mas raramente colocamos nossos planos e idéias em prática, criando o futuro que desejamos. Temos a tendência de nos acomodar a padrões de vida e comportamento, mesmo insatisfatórios, e acabamos não perseguindo os sonhos que nos tornariam mais felizes e bem-sucedidos.

Você não precisa sonhar só com grandes projetos. Talvez você queira pintar sua casa, fazer um curso, comprar uma lancha de segunda mão ou, simplesmente, conseguir um tempo para arrumar seu armário. O importante é ir dando pequenos passos para que seus planos se concretizem. Defina suas metas e as etapas para tentar atingi-las.

☺ ☺ ☺

Nancy dá consultoria para pequenas empresas. Seu trabalho consiste em ajudar os proprietários dessas empresas a desenvolver um planejamento para seu futuro.

Ela se reúne com seus clientes uma vez por mês para examinarem juntos onde estão, para onde estão indo, onde querem chegar e o que é necessário para isso. "Muitos proprietários de pequenas empresas perdem tempo contornando uma crise após a outra, em vez de se concentrarem na administração do negócio. Não sobra tempo para pensar, planejar, progredir", alerta Nancy.

O primeiro passo consiste em definir metas concretas para que o negócio possa, a longo prazo, suprir as necessidades do dono. Senão, o dono acaba gastando todo o seu tempo para suprir as necessidades imediatas do negócio.

☺ ☺ ☺

As pessoas que estabelecem os seus objetivos em termos concretos sentem-se 50% mais confiantes de que vão cumprir suas metas e têm 32% mais chances de se sentir no controle de suas vidas.

Howatt, 1999

69

Mudar de emprego não transforma você

Transições nos intimidam porque sempre tememos o novo. Mas mesmo que haja mudanças ao nosso redor, nós não mudamos.

Precisamos de alguma estabilidade em nossas vidas para podermos funcionar. Quando houver mudanças em sua vida, confie na sua própria integridade para ter segurança e equilíbrio.

☺ ☺ ☺

Amy é uma consultora que vê as pessoas mudarem de emprego todos os dias. Ela observa que as pessoas ficam extremamente ansiosas no momento da mudança: "É como mandar uma criança de 5 anos para o primeiro dia na escola. Como é que vai ser? O que vai acontecer comigo? Os medos pareceriam até engraçados, se não fossem reais e sofridos."

Para ajudar seus clientes, Amy faz com que se concentrem na única coisa que não muda com a transição de um emprego para o outro: eles mesmos. "Algumas pessoas perdem todo o senso de proporção e, realmente, acham que tudo em sua vida irá mudar. Algumas vêem a mudança de forma positiva, mas ilusória, como se seus velhos hábitos fossem desaparecer num passe de mágica. Eu comparo a mudança de emprego com a mudança de relacionamento. Você, às vezes, troca de parceiro achando que o problema que perturbou a relação com o primeiro irá se resolver na nova parceria, sem perceber que trazemos o problema conosco.

Da mesma forma, você não pode mudar de emprego apenas para se sentir uma nova pessoa. Você será basicamente a mesma onde quer que esteja, e sua maneira de ser se refletirá em seu novo trabalho. Por isso é importante conhecer-se bem para ter segurança na sua competência e não alimentar ilusões sobre transformações mágicas."

☺ ☺ ☺

Quase todo mundo se sente ansioso quando inicia um novo trabalho. Contudo, as pessoas que concentram a atenção na sua própria identidade em vez de focalizarem as incertezas sentem-se menos estressadas e ficam mais confortáveis na nova função em muito menos tempo.

Elovainio e Mivimaeki, 2001

70

Vai piorar antes de melhorar

As coisas que você mais quer não são as mais fáceis de conseguir. Se não fosse assim, você já as teria. Muitas vezes dá desânimo pensar que, para atingir as metas que trarão uma melhora às nossas vidas, vamos precisar sofrer e nos sacrificar.

Você tem uma escolha: pode aderir à lei do menor esforço, ter um conforto momentâneo, mas não ir muito longe. Ou pode investir o máximo de esforço e privar-se temporariamente daquilo que lhe dá prazer para criar o futuro desejado.

☺ ☺ ☺

"Comprei uma casa noturna sem ao menos saber no que estava me metendo", conta Dean Maples. "Meus sócios tentaram me convencer de que o lugar precisava de uma reforma antes da inauguração e de que valia a pena contratar um gerente experiente, mas como isso triplicaria minhas despesas, fiz o mínimo possível. Durante um ano, depois que abrimos a casa, a freqüência era tão baixa que mal daria para encher minha sala de estar", diz ele com algum exagero.

Dean resolveu então contratar um especialista em casas noturnas. Depois de estudarem o caso, verificou-se que o potencial era grande, mas seria necessário mudar o nome, o tema e a administração do lugar, o que significava um investimento razoável. "Percebi que não era possível voltar atrás e tratei de apertar o cinto e trabalhar sem trégua."

Atualmente, sua boate vive lotada e gera muito lucro. “Você não pode criar algo assim da noite para o dia”, diz Dean com alívio e orgulho.

☺ ☺ ☺

Entre gerentes de alto escalão, 84% relatam que já tiveram de lidar com um “período de desconforto” na vida. Alguns assumiram riscos na carreira, trabalharam durante longas horas ou fizeram cursos de especialização depois do expediente, mas viram o sacrifício como necessário para conseguir promoção e sucesso.

Atkinson, 1999

71

Durma bem e bastante

Com apenas 24 horas no dia e muitas coisas para se fazer, é natural que o sono acabe sendo sacrificado.

O sono é um fator crucial para nosso bom desempenho. É o alimento para o cérebro.

Você pode achar que vale a pena perder horas de sono para ganhar horas extras, mas saiba que estará sacrificando a sua capacidade de usar seu tempo da forma mais eficiente possível.

☺ ☺ ☺

Durante muitos anos Matt teve um sono irregular.

"A maioria das pessoas sabe como é horrível a sensação de uma noite maldormida. Bem, imagine como seria se você tivesse dormido mal durante cinco anos."

Matt estava sempre sonolento. "Minha vida parecia estar em câmara lenta."

Quando leu um anúncio chamando candidatos para uma pesquisa sobre distúrbios do sono, Matt apresentou-se. Os médicos pediram que ele dormisse na clínica durante algumas noites. Filmaram e monitoraram suas tentativas para dormir e descobriram um problema de respiração que o acordava diversas vezes durante a noite. O problema foi reduzido com o uso de uma máscara especial que regula a respiração durante o sono.

Para Matt, o aparelho propiciou uma vida nova. "Trabalho melhor, sou um marido melhor e usufruo muito mais tudo o que faço."

☺ ☺ ☺

A maioria dos norte-americanos sente sono durante o trabalho. Duas pessoas em cinco relatam que cometem erros por causa do sono. Noites maldormidas reduzem em 60% as idéias inovadoras e em 39% a flexibilidade nas tomadas de decisões.

Harrison e Horne, 1999

72

Procure descobrir os padrões

Qual é o grande denominador comum da conquista intelectual? Em matemática, ciência, economia, história ou qualquer outra matéria, a resposta é a mesma: os grandes pensadores percebem os padrões que se repetem.

Se você observar a si mesmo atentamente, vai perceber que se comporta da mesma maneira em certas situações. Os cientistas e intelectuais têm um olhar mais aguçado e vêem padrões em que ninguém havia pensado ou prestado atenção. Eles percebem como as coisas se encaixam e procuram descobrir o significado que existe por trás dos padrões.

Reserve algum tempo para descobrir os padrões que existem em sua vida e sobre os quais você nunca havia pensado antes.

☺ ☺ ☺

"Não importa qual é o seu trabalho, o importante é entender como as coisas funcionam. Não pensar apenas sobre o que está fazendo, mas também naquilo que não está fazendo", diz George Bodrock.

"Agora trabalho com lixo. Não é glamouroso, mas é fundamental. O mundo não está empenhado em encontrar técnicas naturais para reduzir o lixo, o que pode gerar graves conseqüências."

George é pesquisador da California's Farms Ecology, uma empresa de gerenciamento de lixo. Sua pesquisa tem por objetivo usar vermes para transformar lixo num produto útil. Bodrock observou o comportamento dos vermes e descobriu que eles comem o equivalente ao peso deles todo dia, convertendo o lixo em nutriente para o solo.

Atualmente, ele supervisiona a utilização de 160 milhões de vermes com este objetivo. "É a única solução real para o problema do lixo vegetal. As pessoas não deixarão de ter gramados, jardins e campos de golfe. Nós podemos reciclar 100% do que elas jogam fora."

Segundo a observação de Bodrock, o apetite interminável dos vermes é um mecanismo permanente de reciclagem. "Nós podemos construir supercomputadores capazes de fazer bilhões de cálculos em um segundo, mas, quando a questão é lixo, não há computador que resolva. Por isso, temos que continuar a pesquisar para garantir a qualidade de vida em nosso planeta", diz ele.

☺ ☺ ☺

O sucesso acadêmico em qualquer matéria caracteriza-se pela habilidade de decifrar idéias e relações complexas. Experiências com línguas, matemática e ciências mostraram que a melhor maneira de consolidar o aprendizado é observando padrões.

Silverman, 1998

73

Não fale para você mesmo

Às vezes, ao dar uma explicação sobre determinado assunto, achamos tão óbvia que não entendemos como outras pessoas têm dificuldades de assimilar algo tão banal. Isso acontece porque só levamos em consideração a nossa perspectiva, ou seja, tudo o que sabemos sobre o tema e todas as nossas experiências. Para transmitir com clareza nossas idéias, no entanto, precisamos levar em conta que estamos nos dirigindo a pessoas que podem ter uma formação e um ponto de vista completamente diferentes do nosso.

Uma apresentação é a melhor maneira de expressar o que você pensa para uma platéia que nunca viu o mundo com os seus olhos.

☺ ☺ ☺

Linda Parson pertence a uma família numerosa, em que cada um desenvolve uma atividade diferente. Quando Linda decidiu fazer seu doutorado em Genética Humana, seus pais e seus irmãos vibraram, porque se tratava de uma matéria desafiante e extremamente atual.

Mas logo Linda encontrou uma dificuldade. Nas reuniões familiares, em que cada um falava de sua experiência profissional, o que ela expunha deixava os outros perplexos e, depois de algum tempo, indiferentes, por não compreenderem o que estava sendo dito. Mas sua mãe insistia: "Tente explicar de uma forma que possamos entender, crie exemplos e analogias com coisas que conhecemos."

Essa prática deu origem aos livros que Linda decidiu escrever. "Tomei consciência de que tudo o que está sendo desenvolvido no campo da genética tem conseqüências sérias para a humanidade, e que por isso a informação clara e compreensível tem que chegar ao conhecimento do maior número possível de pessoas."

Os livros foram um sucesso de venda e, logo, Linda foi chamada para palestras por todo o país e para entrevistas na televisão, chegando mesmo a fazer uma apresentação no Congresso para parlamentares que iriam legislar sobre o assunto.

☺ ☺ ☺

Uma pesquisa mostrou que 82% dos consultores de empresas acreditam que qualquer assunto pode ser comunicado com clareza, desde que o expositor conheça a fundo o assunto e se dê conta do nível de conhecimento das pessoas que o ouvem. A clareza na comunicação favorece a relação da empresa com seus clientes e dos gerentes com seus subordinados.

Smith, 2000

74

Seja coerente

Decisões isoladas podem parecer certas, mas quando são colocadas num contexto mais amplo podem perder completamente o sentido. Suas metas, planos, atividades diárias e hábitos não podem ser avaliados isoladamente.

Seu objetivo não deve ser tomar uma série de decisões independentes que, isoladamente, façam sentido, mas sim uma série de decisões que, em conjunto, façam sentido para a sua vida.

☺ ☺ ☺

Quando Isabel e Michael estavam prestes a se tornar pais, eles concordaram com a necessidade de um dos dois ficar em casa com a criança. Sem aprofundar a questão, decidiram que Isabel pediria demissão do seu trabalho como enfermeira. Parecia a coisa mais natural do mundo que a mãe cuidasse do bebê.

Quando a menina nasceu, Isabel entrou em licença maternidade. Durante esse período, ela começou a repensar a decisão tomada. Seu emprego era mais estável do que o de Michael; seu salário, maior do que o do marido e seus benefícios, melhores. Se ela largasse o emprego, a situação financeira do casal ficaria difícil.

Os dois voltaram a conversar sobre o assunto e, embora Michael ficasse perturbado com a idéia, a argumentação de Isabel era absolutamente lógica.

Não ter uma renda própria e viver à custa do salário de Isabel não foi fácil para Michael. Mas é ele quem afirma: "Vivemos numa real comunhão de bens, não existe essa coisa de 'meu dinheiro' e 'seu dinheiro'. Quando nossa filha crescer um pouco mais, vou procurar outro emprego, mas, no momento, tomar conta dela é a melhor carreira que qualquer pessoa poderia querer."

☺ ☺ ☺

Apenas duas entre dez pessoas tomam decisões levando em conta o contexto geral de sua vida. A maioria das pessoas toma decisões isoladas, examinando somente fatores que parecem diretamente relacionados.

Ichniowski, Levine, Olsen e Strauss, 2000

75

Confiança gera confiança

Confiança é como um vírus útil que se espalha por todo o seu corpo. Se você o tem, irá contagiar tudo o que faz de forma positiva. Se não, você irá minar tudo aquilo que fizer.

As pessoas que não têm autoconfiança não só temem fazer coisas nas quais não se sentem competentes, mas também começam a temer desempenhar tarefas em que são de fato excelentes, pois duvidam que sejam realmente boas em alguma coisa.

A confiança aumenta à medida que somos bem-sucedidos no que fazemos, enquanto a falta de confiança se multiplica com os fracassos. Se sua confiança faltar, comece fazendo aquilo em que você se sente mais capaz e, aos poucos, vá enfrentando tarefas mais desafiadoras.

☺ ☺ ☺

Margaret trabalha como advogada há mais de trinta anos. Ela lida com uma variedade de casos cíveis e é muito temida nos tribunais.

Mas não foi sempre assim. "No começo, eu me deparei com todas as barreiras impostas às mulheres e todo o desprezo que vinha junto com elas. Juízes se achavam no direito de me passar sermões sobre como deveria prender o cabelo e o que deveria usar no tribunal. Quando um juiz entrava na sala, ele dizia: 'Bom dia, cavalheiros', como se eu não estivesse presente. Os adversários olhavam para mim como se eu fosse uma garotinha."

Era revoltante e intimidador. Além do mais, afetava seu desempenho e minava a segurança que ela queria transmitir aos seus clientes. "Eu procurei uma saída e descobri que essas atitudes poderiam ser usadas a meu favor. Se eles me tratavam com condescendência, é porque estavam me subestimando. Pois bem, eu ia lhes mostrar quem era. Em vez de me deixar abater, tornei-me mais confiante."

A atitude confiante de Margaret desconcertou quem a menosprezava e, com o tempo, ela se fez respeitar e ganhou a admiração de todos.

☺ ☺ ☺

As pessoas que se sentem menos talentosas do que aqueles com quem convivem acreditam que falharão em qualquer tarefa que lhes seja solicitada, desde testes de conhecimento, exercícios de criatividade e, até mesmo, jogos.

Mayo e Chirstenfeld, 1999

76

Prepare-se para o futuro

Imagine as empresas em 1900 – sem Internet, sem computadores, sem calculadoras e, em muitos lugares, sem eletricidade.

Quando, hoje, olhamos para trás, ficamos surpresos ao pensar que as pessoas trabalhavam sem essas ferramentas maravilhosas que se tornaram indispensáveis. Quais serão as novas ferramentas que ainda nem foram imaginadas e que se tornarão comuns daqui a uma ou duas décadas?

As pessoas capazes de lidar com o futuro e com as novidades que ele trará são mais flexíveis e não sentem medo de mudar. Seu trabalho certamente não será o mesmo daqui a dez ou vinte anos, mas isto não significa que você ficará ultrapassado. Apenas significa que tem de abrir-se para a inovação, sem medo, sabendo que é capaz de absorver o que é novo. Mesmo porque aqueles que se recusarem a fazê-lo não irão sobreviver no mercado de trabalho.

☺ ☺ ☺

Barry e Judy Wirth são os proprietários da Pró-Pet, uma loja de porte médio para animais. Os Wirth assistiram às megalojas se instalarem nas cidades vizinhas. Eram cadeias com lojas gigantescas, uma enorme variedade de produtos e poder de compra para diminuir o preço sobretudo das rações para cães, o item que mais vende nesse tipo de negócio.

O casal sempre soubera conduzir seu pequeno negócio com

sucesso, mas não tinha a menor idéia de como enfrentar uma concorrência tão poderosa.

"Convenci-me de que, sozinhos, não sobreviveríamos. Então, apesar de ter sempre desejado ser independente, verifiquei que era necessário unir-me a outros comerciantes na mesma situação. Criamos uma cooperativa e passamos a analisar em conjunto tudo o que poderíamos fazer para melhorar o negócio", conta Barry.

Ele diz que o sucesso da loja depende de uma coisa: "Não temos medo do futuro, pois sentimos disposição para enfrentar os desafios e buscaremos ajuda quando não nos sentirmos capazes. De uma coisa temos certeza: se você não se aprimorar sempre, ficará ultrapassado."

☺ ☺ ☺

Uma pesquisa feita com funcionários cujas demissões não foram causadas por deficiência no desempenho descobriu que a flexibilidade, a disposição para tentar novas tarefas e aprender novas habilidades são fatores decisivos para conseguir com maior rapidez um novo emprego.

Ingram, 1998

77

Valorize a prática

Todos os anos, milhares de jovens saem das faculdades cheios de confiança e esperança, mas quando chegam ao local de trabalho descobrem o quanto eles ainda não sabem.

Não menospreze a grande importância do conhecimento prático que você já tem e que pode adquirir ao aprender sobre as coisas que faz.

☺ ☺ ☺

John Grant trabalha no departamento de recrutamento e seleção de uma grande empresa há vinte anos. Entrevistado sobre o que aprendera de mais importante naquele período, ele respondeu: "Aprendi a valorizar mais a prática do que o conhecimento acadêmico. Durante muitos anos dei importância aos currículos que, em muitos casos, pareciam verdadeiros catálogos telefônicos. Aos poucos, fui percebendo que o conhecimento acumulado não se traduzia muitas vezes num desempenho correspondente, até porque as faculdades não se preocupam em preparar os estudantes para o dia-a-dia do trabalho." John acrescenta que os candidatos com currículos impressionantes tinham uma atitude mais segura na hora da entrevista, porque vivemos numa cultura que valoriza os diplomas e certificados. Aqueles que não tinham passado por tantos cursos mostravam-se humildes e inseguros, embora muitos tivessem desenvolvido habilidades extraordinárias nas atividades a que se dedicaram.

John concluiu que a melhor forma de selecionar empregados era através de estágios remunerados, em que o candidato demonstrasse, na prática diária, suas habilidades. John conclui: "Fico feliz de ter adotado esse método e me aflijo em pensar quantos talentos rejeitei por não me dar conta disso antes. É gratificante poder dar uma oportunidade para pessoas talentosas aprimorarem sua capacidade."

☺ ☺ ☺

O conhecimento adquirido por meio da experiência de trabalho é seis vezes mais importante do que as notas tiradas durante a vida escolar, quando se quer prever o desempenho profissional de novos funcionários.

Sternberg, Forsythe, Hedlund, Horvath, Wagner,
Williams, Snook e Grigorenko, 2000

78

Perceba o risco de não tentar nada

Assista a um jogo de futebol e você ouvirá os locutores falando sobre os riscos que os times enfrentam ao tentar marcar um gol. Eles advertem sobre várias ações, como lançar uma bola muito alta ou se arriscar demais numa jogada, podendo sofrer um contra-ataque. Mas eles se esquecem de falar sobre o risco de não tentar todas estas coisas.

Em qualquer setor da vida, nós nos arriscamos ao empreender qualquer coisa. Mas existe um risco real em evitar as experiências por medo de errar. Diz o ditado: "Quem não arrisca, não petisca." Tentando, podemos consertar os erros ou mesmo concluir que não era aquilo o que queríamos. Deixando de tentar, nunca saberemos o que poderíamos ter conquistado.

☺ ☺ ☺

William trabalhou durante anos na fábrica da General Mills. O trabalho era desgastante e intenso, mas o emprego era estável e William se acomodou. Toda noite, porém, ele corria animado para casa e, depois do jantar, pegava os seus pincéis.

William pintava cenas do cotidiano que descreviam realidades cruéis da vida urbana. Seu trabalho ficava exposto apenas em seu quarto e na sala. Apesar da imensa alegria com que pintava, ele não mostrava sua obra para ninguém. Não gostava de conversar sobre o seu *hobby*, achando que sua pintura não tinha valor e com medo de que o ridicularizassem.

Um dos seus amigos implorou várias vezes que William apresentasse seus trabalhos em uma feira de arte amadora. William sempre recusou. Mas a insistência do amigo foi tanta que, finalmente, ele cedeu. Para sua surpresa e alegria, ganhou o primeiro lugar.

Ao poucos, William foi superando sua relutância e permitindo que alguns dos seus quadros fossem exibidos em pequenas exposições locais. Um *marchand* viu seu trabalho e propôs-lhe montar uma exposição maior. Para isso, William teria que pedir uma licença na fábrica, e ele temeu perder o emprego. Mas uma força interior impulsionou-o, e o resultado financeiro, aliado à apreciação da crítica, compensou largamente sua corajosa tentativa.

☺ ☺ ☺

As pessoas que estão satisfeitas com suas carreiras se sentem 48% mais seguras em aceitar riscos em seus trabalhos futuros do que pessoas que não se sentem realizadas em seus locais de trabalho. Aceitar riscos faz com que elas se sintam mais confiantes para tentar novas oportunidades e permite que tomem consciência de que a sua posição atual é uma escolha e não uma sentença.

Ingram, 1998

79

Não insista sempre no mesmo ponto

As pessoas absorvem uma grande quantidade de informações e aprendem lições significativas com suas primeiras experiências profissionais. No começo da carreira, somos como um caderno em branco que vai sendo preenchido por anotações e observações. As páginas iniciais do nosso caderno mental são preenchidas com nossas primeiras experiências.

Na hora de conseguir um emprego, a experiência profissional tem um peso importante. Mas, quando precisamos solucionar um problema no dia-a-dia, temos de tomar cuidado para não insistir nas mesmas soluções que já usamos em outras situações. Às vezes, é preciso agir de modo diferente.

Tenha consciência de que novas conjunturas requerem novas providências. Aprenda com cada experiência, mas aprenda sobretudo a analisar os novos desafios para dar-lhes uma resposta adequada.

☺ ☺ ☺

A empresa Schwinn Bicycle foi líder no segmento de bicicletas durante 100 anos.

Edward Schwinn, a quarta geração da família Schwinn no negócio, assumiu a direção da empresa em 1979. Treze anos mais tarde, a companhia beirava a falência, com uma queda de 60% nas vendas.

Segundo os analistas, o motivo do declínio foi a falta de atualização. Por se tratar de uma empresa familiar, Edward Schwinn se recusou a contratar profissionais especializados e a abrir o capital para terceiros, quando a companhia começou a mostrar sinais de fraqueza. Convicto da força de sua marca – que funcionara durante tanto tempo –, Edward recusou-se a investir em marketing, abrindo espaço para o crescimento da concorrência. Como a família Schwinn sempre negociou com base na confiança, Edward concordou em terceirizar toda a produção industrial para o antigo fornecedor chinês, sem um contrato que protegesse os interesses de sua empresa a longo prazo.

No final, em 1992, Schwinn Bicycle estava com uma dívida de 75 milhões de dólares e continuava perdendo um milhão por ano. A falência da companhia foi decretada, e a família Schwinn perdeu o controle dos negócios. Até hoje, Edward não consegue entender o motivo do fracasso: "Afinal, procedemos da mesma forma que nos levou ao sucesso."

☺ ☺ ☺

Pesquisas feitas com gerentes financeiros apontam que 95% deles criam vínculos com tipos de investimento em que tiveram seu primeiro sucesso. Assim, perdem excelentes oportunidades em outros segmentos do mercado, mas sustentam um falso entusiasmo pelo setor escolhido.

Goltz, 1999

80

Dinheiro não é tudo

Todos querem um salário maior. Mesmo as pessoas que têm tudo o que precisam e tudo o que desejam querem ganhar mais.

Um contracheque tem de ser entendido pelo que realmente representa. Não é apenas poder ou garantia de uma vida estável. Para nós, ele simboliza o valor atribuído aos nossos esforços e habilidades e a confiança que as outras pessoas depositam em nós.

Na sua batalha por um salário maior, lembre-se do que o contracheque significa para você e preste atenção ao fato de que o respeito por seu trabalho pode ser demonstrado mesmo sem grandes recompensas financeiras.

☺ ☺ ☺

"Quanto vale uma tarde brincando com meu filho no playground? Por que quantia eu venderia este dia?", Beth se questiona quando pensa em voltar a trabalhar em tempo integral.

"Se eu não voltar a trabalhar, não poderei comprar uma casa maior, um carro novo, roupas novas. Mas será que é melhor ter essas coisas do que aproveitar meu filho e poder curtir a maternidade?", ela se pergunta. Assim como Beth, várias de suas amigas que largaram os empregos para cuidar dos filhos têm as mesmas dúvidas.

Beth fica dividida, mas acredita que escolheu o caminho da sua felicidade. "O dinheiro não pode ser o parâmetro para medir se eu tomei ou não a decisão certa. Se fosse assim, eu teria de trabalhar sete dias por semana, 24 horas por dia, nunca poderia ter filhos, me casar ou passear. Existem coisas mais importantes na vida, e não adianta apenas dizer isso, é preciso viver de acordo com o que se acredita."

☺ ☺ ☺

Pesquisas nacionais feitas nos Estados Unidos, comparando renda com estilo de vida e satisfação (entre pessoas que têm o que é necessário para viver), constataram que o aumento de salário não tem efeito na satisfação com a vida e tem pouca influência nos hábitos profissionais.

Eisenberger, Rhoades e Cameron, 1999

81

Avalie-se com realismo

Abra alguns livros de auto-ajuda, ouça uma fita, assista a uma palestra motivacional e você ouvirá sobre os poderes maravilhosos que possui e as mirabolantes proezas de que é capaz. É verdade que você tem de acreditar em si mesmo para ser bem-sucedido. Neste sentido, as mensagems de incentivo são úteis.

Mas cuidado com esses processos que exaltam suas habilidades sem conhecê-las. O que importa é conhecer-se de fato, com seus talentos e seus limites, para ter um ponto de partida na realidade.

Não tente se convencer de que você é o Super-Homem ou a Mulher Maravilha. Ao tentar ser o melhor em tudo, você corre o risco de perder a confiança ao ter um desempenho mediano nas áreas em que não se sobressai. O fracasso se tornará a sua criptonita, e o poder da sua autoconfiança desaparecerá.

Não existe nada mais libertador do que a verdade. Como sou? Quais são as áreas em que me destaco? E aquelas em que tenho dificuldade? O que é que me dá prazer? Onde é que me sinto infeliz? Não se trata de constatar isso para acomodar-se na situação, mas sim investir no que você deseja de fato desenvolver.

A melhor autoconfiança é baseada em uma avaliação realista de todas as nossas habilidades. Só essa avaliação será capaz de iluminar os caminhos para a realização de nossos sonhos.

☺ ☺ ☺

Bruce é voluntário como treinador de um time de futebol

infantil nos fins de semana. Ele gosta de ensinar às crianças técnicas de jogo, exercícios e trabalho em equipe.

Mas o que realmente o surpreende é o que acontece fora de campo. "Os pais pressionam os filhos de uma forma cruel. Para eles é indispensável vencer, talvez até porque projetem seus desejos e frustrações nas crianças. Eu me empenho em ensinar o jogo, a alegria do trabalho em equipe, o valor do espírito esportivo. Já os pais correm de um lado para o outro do campo, se matando, como se fosse uma competição. Eles gritam com o juiz. Gritam uns com os outros. Gritam com as crianças. Eles fazem com que as crianças se sintam fracassadas se alguma coisa dá errada no jogo. É realmente triste de se ver a felicidade de uma criança transformada em rejeição porque os pais assistem ao jogo com a idéia de que o seu filho tem de ser um campeão. Eles deviam incentivar os filhos a se divertir e se exercitar", lamenta Bruce.

☺ ☺ ☺

Confiança, combinada com uma auto-avaliação real, produz um aumento de 30% na satisfação de vida.

Sedlacek, 1999

82

Resista à tentação de ser igual aos outros

De um modo geral, vivemos cercados por pessoas comuns, que querem nos convencer de que devemos ser iguais a elas. Quem tem um talento especial ou uma característica original que faz com que se sobressaia pode acabar incomodando os outros e até mesmo virar alvo de inveja. Por isso, não espere que ninguém respeite seu modo de ser "diferente" ou lhe estimule a investir no seu potencial.

Por outro lado, para se tornar uma "pessoa comum", você precisa muitas vezes violentar sua natureza e sacrificar sonhos, individualidade e idéias únicas. Significa que você guiará sua vida atendendo mais às preferências do grupo do que às suas.

☺ ☺ ☺

"Uma pessoa que deseja ser líder deve virar as costas para a multidão", diz o cartaz na mesa de Ty Underwood. Ele gerencia uma agência de empregos para diaristas e trabalhadores de baixa escolaridade.

"Quando cheguei aqui, encontrei uma rotina repetitiva e uma situação financeira calamitosa. Chegávamos para trabalhar, deixávamos os candidatos entrar, distribuíamos os formulários para serem preenchidos e os mandávamos para os clientes. O índice de rejeição era altíssimo. Ninguém se preocupava com as características de cada candidato, não havia qualquer tipo de treinamento e a avaliação de desempenho era feita de forma puramente burocrática."

Ty mudou tudo. Demitiu dois terços do quadro de funcionários, fez uma rigorosa seleção para contratar novos empregados, investiu em treinamento constante.

"Agora cada dia começa com a premissa de que cada um que entra por esta porta tem um talento especial a ser desenvolvido. Isto vale para funcionários e clientes."

Dois anos depois, a agência que Ty considerava uma vergonha tornou-se um modelo de sucesso, com um recorde de 71% de profissionais colocados no mercado.

☺ ☺ ☺

Psicólogos observaram que os maus hábitos podem se espalhar no ambiente de trabalho como uma doença contagiosa. Os empregados tendem a se espelhar no mau comportamento dos colegas, aumentando a incidência de atrasos e faltas e até o roubo de dinheiro e material do empregador. O comportamento negativo de alguns funcionários pode prejudicar toda a empresa, disseminando a falta de interesse e de compromisso.

Greene, 1999

83

Sinta-se dono do que você faz

Não importa se você é dono de uma empresa ou se separa cartas na sala de correspondência. Ser bem-sucedido começa por apoderar-se, tornar-se dono da tarefa que lhe cabe.

Você faz esse trabalho – e faz muito bem!

Não importa o que as outras pessoas estão fazendo, nem o tipo de barreira colocada no seu caminho por políticas equivocadas ou líderes mal escolhidos. O que interessa é a sua habilidade, seu compromisso e, acima de tudo, seu potencial em fazer ainda melhor.

☺ ☺ ☺

Laura começou sua carreira de atriz aos 15 anos. Aos 20 já se tornara conhecida e, aos 25, era famosa, obtendo sempre os papéis principais nos seriados de TV que estrelava.

Até que houve uma mudança na direção do estúdio que a contratara. O novo diretor do seriado que Laura iria estrear resolveu valorizar outra atriz, a quem estava ligado afetivamente.

Para surpresa geral, Laura ganhou um papel absolutamente insignificante. Havia uma expectativa geral de que ela o recusasse, mas Laura o aceitou sem contestar e empenhou-se em desempenhá-lo da melhor maneira possível.

Sua atuação foi tão brilhante que sua personagem cresceu no decorrer da trama e Laura recebeu aplausos da crítica, enquanto a performance da protagonista foi considerada decepcionante. Ela sorri quando se lembra do episódio e comenta: "Todos precisam ter oportunidade. Além disso, sair-me bem num papel secundário foi mais difícil do que brilhar como atriz principal."

☺ ☺ ☺

A satisfação com o trabalho aumenta em 34% quando os empregados sentem que são responsáveis por seus resultados profissionais.

McCaw, 1999

84

Seja honesto em relação ao futuro

É fácil mentir a respeito do futuro. E também é fácil enganar-se, mentindo para si mesmo.

Se pensarmos bem, perceberemos que não só conhecemos muita gente que mente a respeito do futuro, como somos capazes de fazer o mesmo. Mentimos para nós mesmos sobre o que pretendemos, como vamos fazer para chegar aonde queremos e por que desejamos chegar lá. É mais fácil adiar uma tarefa difícil do que enfrentá-la, e é reconfortante dizer aos outros que iremos fazê-la o mais rápido possível. De certa forma não estamos mentindo, porque queremos acreditar no que dizemos, como se fosse verdade.

Mentir para nós mesmos sobre nossas metas é como pagar um empréstimo fazendo um empréstimo mais alto ainda. Resolve o problema no dia de hoje, mas agrava o de amanhã.

☺ ☺ ☺

Greg investiu as economias de toda uma vida no seu novo negócio de sabão no Oregon. Havia apenas um problema. Ele ainda não acertara a fórmula do sabão.

Greg já havia alugado uma loja no shopping e outra na rua principal. Já havia mandado imprimir os rótulos. Mas sua receita para o sabão artesanal não passava de um desastre.

Desesperado e pressionado pelo tempo, Greg comprou sabão de um produtor e colocou o seu rótulo nele.

Ele dizia a seus clientes que o sabão era artesanal de Oregon, apesar de não ser nem artesanal nem de Oregon. Greg sabia que estava violando os termos do contrato de aluguel da sua loja, onde havia uma cláusula estabelecendo que ele venderia apenas produtos artesanais.

Apesar de saber que dificilmente seria pego em flagrante, a fraude o estava destruindo por dentro. Greg resolveu, então, assumir o prejuízo e fechar a operação. Ainda assim, ficou aliviado e feliz por sair do negócio. "É extremamente perigoso mentir sobre um aspecto fundamental da sua vida. Se você tem sucesso, acaba se acomodando na mentira e se justificando ou negando a fraude. A verdade acaba prevalecendo e, mesmo que isso não aconteça, você se diminui como ser humano e não consegue se respeitar. Não acho que valha a pena pagar um preço tão alto só para manter uma fachada."

☺ ☺ ☺

Em 81% dos casos, as pessoas que se consideram bem-sucedidas profissionalmente foram mais realistas e objetivas ao estabelecer seus planos de carreira quando jovens.

Ingram, 1998

85

Você precisa saber o que está procurando

Que direção tomar? Qual é a carreira que responde melhor à sua vocação, às suas necessidades e pode ajudar você a atingir suas metas?

Para responder essas perguntas, as pessoas pensam mais nas vantagens e desvantagens das carreiras, nas necessidades do mercado e nos salários pagos em cada setor. Pesquisam o que está fora. Esquecem-se de que, antes de saber o que está fora, precisam entender a si mesmas.

Os detalhes de um trabalho são menos importantes do que saber quem você é, o que pode fazer e o que quer fazer.

☺ ☺ ☺

Cindy Deppe é proprietária de um dos últimos drive-ins da Pensilvânia. Ela enfrenta as mesmas pressões que tiraram quase todo mundo desse tipo de negócio. Os terrenos são muito caros para serem usados como cinemas, e as pessoas preferem sentar em salas com ar condicionado e assentos reclináveis a ficar em seus carros.

Ao sentir a crise se aproximar, Cindy pesou vários fatores. Descobriu que tinha enorme gosto em administrar aquele negócio, que estava disposta a diminuir seus ganhos e a arregaçar as mangas para fazer o possível para que seu drive-in fosse um sucesso. Com todos os problemas, Cindy continua no negócio. Na verdade, diz que está se saindo muito bem.

Ela tem criado novidades que atraem não apenas famílias locais, mas pessoas que moram a horas de distância e sentem nostalgia do antigo sistema de drive-in.

Um de seus amigos a chama de mestra do marketing. Cindy diz: "Bem, acho que há um fundo de verdade nisso, mas eu não poderia vender algo de que não gostasse e adoro este lugar e este negócio."

☺ ☺ ☺

As pessoas indecisas em relação à sua carreira e seus planos a longo prazo têm a sensação de que não se conhecem mais profundamente.

Guerra e Braungart-Rieker, 1999

86

Não se esqueça da embalagem

Nós nos preocupamos o tempo todo em melhorar nosso desempenho. Mas isso de pouco adianta se as outras pessoas não perceberem do que somos capazes.

Há uma boa razão para que as companhias de cereais gastem mais dinheiro com propaganda do que com qualquer outro item do negócio. A concorrência é grande, pois muitas companhias produzem bons cereais. O que é então que determina a escolha do consumidor? Quando estamos diante da gôndola do supermercado, nossa tendência é comprar o cereal que já conhecemos ou aquele que apresenta a embalagem mais atraente.

Não se esqueça de que "não basta ser, é preciso parecer". É importante que a aparência complemente a realidade.

☺ ☺ ☺

James Rodríguez administra uma organização não-governamental de preparação para o trabalho, em Nova Jersey.

James trabalha com "pessoas que foram esquecidas e abandonadas, pessoas de quem se desistiu". Ele as ajuda a se prepararem para o mercado de trabalho e a arranjarem um emprego.

O programa ensina habilidades necessárias para a vida e o trabalho e dá orientações sobre a melhor forma de se conseguir um emprego. "Nós aconselhamos as pessoas em relação à roupa, higiene e postura, mostrando que a primeira impressão é decisiva para conquistar a confiança do empregador. Pode parecer delicado tocar no assunto da aparência, mas nós o fazemos com a maior convicção, pois sabemos o peso que tem uma boa aparência."

De repente, James percebeu que estava sendo contraditório. Ao mesmo tempo que dizia às pessoas o quanto a aparência era importante, ele não dedicava a mesma atenção à apresentação de seu trabalho. "Nós nos preocupávamos apenas com a qualidade do trabalho, o que é fundamental, mas não nos preocupávamos com a embalagem de nosso produto. Com isso, além de estarmos dando uma dupla mensagem para nossos treinandos, deixávamos de conseguir novos financiamentos para ajudar mais pessoas."

Agora James se dedica a compilar estatísticas, mostrando o número de pessoas que eles ajudaram e produzindo relatórios dos trabalhos que desempenharam. Esmera-se no conteúdo dos relatórios e na sua apresentação. "É como eu digo às pessoas a quem presto consultoria: não basta ser a pessoa certa para o trabalho, você tem de parecer a pessoa certa para ele."

☺ ☺ ☺

O que faz com que um pequeno negócio tenha sucesso? Experiência, localização, tamanho da equipe, tudo é importante. Mas um fator importante para atingir o sucesso é o nível de recursos investidos em marketing.

Goldenberg e Kline, 1999

87

Aprenda a ser o seu próprio líder

Em um mundo ideal, você receberia o apoio de todos com quem trabalha e se beneficiaria com a liderança competente e democrática dos seus superiores.

Mas, no mundo real, você pode se deparar com colegas competitivos e com um supervisor que só atrapalha.

À medida que você se torna mais seguro dos seus objetivos e talentos, passa a depender menos das atitudes e habilidades daqueles à sua volta e mais da sua paixão e competência.

☺ ☺ ☺

Depois de vinte anos em vendas, Terry Hinton compara sua carreira a uma corrida de obstáculos. "Quando a companhia vive períodos de prosperidade, meu desempenho é minimizado, porque dizem que o mercado está aquecido. Quando as vendas se tornam fracas, é como se eu fosse o único responsável pelos prejuízos."

Apesar dessa insatisfação, Terry ganha uma boa comissão de vendas. "Gosto do que faço, sei que sou bom funcionário e trabalho para valer. Então não me deixo afetar pelas atitudes negativas de meu gerente ou de meus colegas. Sei quem sou e atingi o que queria."

☺ ☺ ☺

A produtividade de empregados muito dedicados ao trabalho tem 33% menos chances de ser afetada pela qualidade de seus gerentes do que a produção de empregados que se dedicam pouco.

Pollock, 1998

88

Uma vitória a qualquer custo não é uma vitória

Alguns problemas podem ser mais facilmente evitados do que eliminados, e algumas soluções custam mais do que os problemas que elas resolvem.

Ao se esforçar para ser bem-sucedido, concentre-se no objetivo e não na vitória em si. Explico a diferença: há pessoas que precisam vencer em tudo o que fazem, desde as pequenas discussões sobre assuntos irrelevantes, até determinar a melhor forma de realizar qualquer coisa. Elas se desgastam nesse esforço e, muitas vezes, perdem de vista o objetivo principal.

☺ ☺ ☺

Ki Suh Park é um dos arquitetos mais famosos de Los Angeles. Mas, até alguns anos atrás, era também uma pessoa extremamente complicada, tanto no ambiente profissional quanto no familiar. Sua compulsão por vencer levava-o a impor seu ponto de vista à mulher e aos filhos, comprometendo a harmonia da família.

No trabalho, demandava dedicação total das pessoas que estavam à sua volta. Era conhecido por despedir secretárias quando cometiam um simples erro e por irritar seus sócios, devolvendo-lhes seus relatórios com os erros gramaticais sublinhados.

Em 1992, Ki Suh foi convidado para liderar um projeto chamado Reconstruir Los Angeles, uma iniciativa para recuperar os prédios que tinham sido destruídos durante as violentas manifestações daquele ano e para revigorar a economia das áreas pobres da cidade.

Essa experiência mudou sua perspectiva drasticamente. Ele tomou consciência da importância e repercussão do projeto e do quanto precisava contar com os outros para realizá-lo. "Eu costumava olhar o mundo só através de meus olhos, formando uma opinião sem querer ouvir os outros. Nesse trabalho em equipe, descobri que o ponto de vista dos outros só pode contribuir se estivermos abertos para ouvi-los e considerá-los."

Integrar uma equipe com um objetivo comum foi uma sensação nova para Ki Suh. "Eu me senti como uma gota no oceano. Mas, sozinho, você não pode reconstruir o mundo da noite para o dia ou reconstruir uma cidade. A questão é: estamos realmente dando o primeiro passo?"

Agora ele experimenta uma grande satisfação quando trabalha em projetos que refletem tanto sua visão quanto os pontos de vista da sua equipe e os desejos da comunidade. "É extremamente gratificante", diz Ki Suh.

☺ ☺ ☺

A vontade de ser bem-sucedido vem de duas formas diferentes. Pessoas supercompetitivas (60%) concentram-se em vencer todo o tempo, independente da importância do objetivo. Pessoas medianamente competitivas (40%) concentram-se em fazer bem, mas dão ênfase ao próprio aprimoramento para que possam fazer melhor no futuro.

Glaman, 1999

89

Pessoas que conseguem um bom resultado se empenham para conseguir um resultado ainda melhor

Talvez você pense que as pessoas trabalham duro para conseguir um bom resultado e, quando atingem sua meta, diminuem seus esforços.

Na verdade, as pessoas que trabalham duro para conseguir um bom resultado tendem a trabalhar mais duro ainda para obter melhores conquistas.

☺ ☺ ☺

Karen Rogers descobriu essa verdade quando implementou um programa de incentivos na firma onde era gerente.

Um ano difícil para a empresa forçou Karen a buscar alternativas para o aumento anual de salários dos empregados. Ela aconselhou a empresa a usar um plano de incentivos baseado na combinação entre salário e produtividade.

Para medir o efeito que o incentivo causaria no desempenho dos funcionários, ela cuidadosamente organizou uma tabela contendo informações sobre cada empregado, antes de anunciar o plano.

Quando Karen comparou a produtividade antes e depois da implantação, ficou surpresa ao constatar que um terço dos empregados não aumentara seu rendimento. Pesquisando em sua tabela, ela descobriu que esses empregados eram aqueles que já tinham um alto índice de produção antes do plano.

Dois anos depois, Karen analisou novamente os números. O

grupo de trabalhadores cuja produtividade permanecera praticamente igual era o mesmo.

Karen nos diz o que aprendeu com esta experiência: "O bom empregado é aquele que já produz como se estivesse em um plano de incentivo imaginário."

☺ ☺ ☺

Os gerentes de fábrica cujas metas de qualidade estão sendo atingidas investem 20% mais tempo em desenvolver suas práticas do que os gerentes que se encontram muito distantes de suas metas. Em outras palavras, os bons empregados se empenham em trabalhar bem para atingir resultados cada vez melhores.

Coulthard, 1998

90

Não continue na direção errada só porque está perto da reta final

Quantas vezes você finaliza uma coisa mesmo sabendo que não deveria nem ter começado?

Raspamos o prato mesmo quando as cenouras estão muito cozidas só porque elas estão ali e já começamos a refeição. Fazemos isso apesar de não termos pedido cenouras supercozidas e de que as teríamos recusado se nos fossem oferecidas.

Ficamos até o fim de um filme de que não estamos gostando, permanecemos numa festa em que nos aborrecemos, mantemos um casamento insatisfatório, ou nos acomodamos em uma carreira que nos desagrada só porque fizemos a faculdade e nos formamos naquela matéria.

Fazemos o mesmo quando damos prosseguimento a um projeto cujo objetivo não nos interessa mais. Continuamos porque já começamos, não porque faz algum sentido seguir em frente.

Tenha a coragem de parar – não se deixe levar só porque já investiu muito tempo e energia em alguma coisa. Pense no que vai perder se continuar.

☺ ☺ ☺

Brad administra uma empresa de segurança de alta tecnologia e por isso conhece intimamente o processo de tomada de decisões das empresas. "O que mais me impressiona é a quantidade de vezes em que ouço que a direção da empresa está preocupada com o sistema de segurança que adotaram, mas que não podem mudar porque já firmaram um contrato com a companhia que o administra."

"Eu argumento dizendo que, se estão pagando por um sistema que não funciona, então não estão pagando por segurança."

Brad acrescenta: "Eu percebo que, muitas vezes, mesmo sabendo que o sistema contratado é inadequado, os gerentes insistem em mantê-lo para que não pareçam incompetentes por terem tomado uma decisão errada. Eles preferem colocar a segurança da empresa em risco, com altos prejuízos, a ter que gastar dinheiro com a rescisão do contrato. Quando eu escuto isso, fico perplexo ao pensar que eles preferem fracassar a abandonar o plano inicial."

☺ ☺ ☺

Em algumas empresas, os gerentes decidem continuar a desenvolver um novo produto baseados mais na proximidade da conclusão do que no lucro que o produto dará.

Boehne e Pease, 2000

91

Acredite em você

Olhamos para o que está acontecendo ao nosso redor e avaliamos nossas perspectivas. Será que iremos conseguir? Ao fazer essa pergunta, pensamos muito mais em fatores externos, como o momento econômico e a conjuntura política.

Mas, para avaliar suas chances, você não deve se concentrar na situação econômica do país nem nos relatórios da companhia. A melhor informação é a respeito de você mesmo, baseado em duas crenças simples: você é capaz de fazer seu trabalho e você pode mostrar aos outros que tem essa capacidade.

☺ ☺ ☺

James Black trabalhou em lojas de departamento ajudando a decidir as roupas que deveriam ser vendidas. Nessa experiência, ele foi se convencendo de que podia fazer roupas melhores do que as que a loja oferecia e ganhar mais dinheiro fazendo isso.

Seus colegas de trabalho tentaram dissuadi-lo, dizendo que era muito arriscado e que ele deveria pensar melhor antes de ir em frente.

Mas James acreditava em si mesmo e não se sentiu desencorajado. Trabalhou duro para lançar sua própria marca, e rapidamente suas roupas ganharam espaço nas lojas de todo o país.

Ele tem uma estratégia simples, mas poderosa, para vencer no mundo da moda onde há muita competição e uma constante rejeição: "Não importa o que esteja tentando, você não pode deixar que um 'não' signifique 'não'."

☺ ☺ ☺

Nove entre dez pessoas que acreditam que um dia irão realizar seus objetivos profissionais têm forte noção de sua própria competência e são firmes em afirmá-la.

Velting, 1999

92

Aja como se as outras pessoas pudessem ler a sua mente

Alguns filmes de ficção científica mostram o quanto seria desastroso se as pessoas pudessem ler as mentes e ouvir os pensamentos dos outros.

Mas não é necessário que as pessoas mais próximas leiam a sua mente para saber qual o seu nível de satisfação profissional. Seus colegas de trabalho, seus clientes e sua família claramente entendem, mesmo que você não tenha lhes dito diretamente, o quanto você está satisfeito e comprometido com o seu trabalho. Tenha consciência de que sua expressão fisionômica, seu comportamento e sua linguagem corporal comunicam seus pensamentos a respeito do seu trabalho.

☺ ☺ ☺

Michael Phippen administra uma indústria de roupas íntimas na Flórida. Quando ele ocupou a gerência, gastou quase todo o seu tempo conversando com a área de vendas. "O fundamental numa empresa é a venda, e os vendedores são a linha de frente porque sabem o que os clientes querem, do que precisam e como estão reagindo aos produtos."

Ele descobriu que havia uma falta de ligação entre diferentes grupos dentro da companhia. Vendas e produção não se comunicavam adequadamente, e os clientes ficavam perdidos no meio do processo.

Michael promoveu essa ligação e providenciou um treinamento em marketing para o pessoal da produção e de vendas. "A produção criava baseada em seu próprio gosto. Tínhamos excelentes peças, mas isso não significava que correspondessem ao gosto de nossa principal clientela. Nosso lema passou a ser: 'O cliente tem sempre prioridade. É preciso conhecê-lo.' E ninguém o conhece melhor do que os vendedores, então é preciso ouvi-los." Essa nova mentalidade desenvolvida na empresa gerou uma alta lucratividade: sem que fosse dito explicitamente, os clientes sentiram na postura da empresa um interesse especial por eles e responderam à altura.

☺ ☺ ☺

Numa pesquisa, colegas de trabalho e clientes de uma loja tinham que dar notas sobre o nível de satisfação dos vendedores daquela loja. Eles acertaram três vezes mais do que os entrevistados escolhidos aleatoriamente, ou seja, que não tinham qualquer contato com os vendedores. Setenta por cento dos clientes tendem a continuar fazendo negócios com a empresa se acreditam que os empregados estão satisfeitos com seu trabalho.

Hagan, 1999

93

Você vai cair para depois se levantar

Muitas conquistas parecem estar fora de nosso controle. Decisões capazes de alterar nossa empresa, nosso trabalho e nossa vida, muitas vezes, não dependem de nossa vontade ou opinião.

Mas, se souber conviver com as incertezas e acreditar em você mesmo, sempre haverá novas alternativas disponíveis. Seja qual for a situação, você sempre terá outra escolha.

☺ ☺ ☺

As imagens do telejornal local eram sensacionais, e William Morales chamou os outros para vê-las. Mas, no meio da reportagem, ele ficou sabendo que seu irmão estava morrendo em um hospital, depois de ter sido baleado pela polícia.

William assistiu a tudo de sua cela na prisão e chorou.

O impacto daquele acontecimento provocou uma mudança decisiva em sua vida. Durante os meses que se seguiram, ele aprendeu a ler com outro preso. Depois, William se inscreveu para estudar na prisão e conseguiu um diploma do ensino médio. Logo em seguida, veio o treinamento profissional.

Seu desempenho e bom comportamento lhe garantiram a liberdade condicional, e ele resolveu ajudar a próxima geração a escapar do tipo de vida que tinha colocado ele e o irmão naquele caminho. William determinou suas metas, visando criar um programa que melhorasse a convivência entre as crianças da vizinhança onde crescera e os policiais, estabelecendo um novo modelo a ser seguido por aquelas crianças.

"Cresci confiando nos traficantes, que eu considerava como meus irmãos mais velhos. Os policiais eram inimigos. Quando penso no que me levou para a prisão e matou meu irmão, percebo que houve uma falha nessa compreensão. Foi por isso que decidi trabalhar nesse programa."

Quando não está com as crianças, William estuda. Ele está tentando formar-se em Direito. "Eu acho que esse diploma irá reforçar minhas habilidades naturais para a advocacia. Quero dedicar minha vida a essa causa."

☺ ☺ ☺

Quando as demissões são anunciadas, há um grande trauma inicial. Mas, enquanto algumas pessoas se afundam no desespero, outras logo pensam na próxima etapa. A auto-imagem e a aceitação de riscos pesam mais na reação dos trabalhadores que enfrentam mudanças significativas no local de trabalho do que a natureza das mudanças em si.

Judge, Thoresen, Pucik e Welbourne, 1999

94

Não perca suas metas de vista

Você deveria ter suas metas sempre em mente, servindo-lhe de orientação e estímulo.

Não aconselho ninguém a fazer uma lista de objetivos, escondendo-os depois para examiná-los quarenta anos mais tarde. Crie metas agora, use-as, siga-as, atualize-as e viva de acordo com elas.

☺ ☺ ☺

Connie é uma consultora acadêmica em Milwaukee. Ela trabalha com estudantes, ajudando-os a pensar nas possibilidades de carreira.

"O grande desafio consiste em fazer com que os estudantes comecem a pensar. Muitos deles não têm a mínima idéia do que querem fazer, o que significa que nunca consideraram as coisas que terão de realizar para que se tornem o que querem ser. Conversamos seriamente com eles, examinando a realidade para que possam começar a formular suas metas. Planejamento profissional deve ser um processo constante na vida, mas quanto antes começarem, melhor, pois terão mais chances de tomar a decisão que irá beneficiá-los. Quando o aluno define uma meta, ele passa a saber as etapas que deve percorrer para atingi-la. A meta pode ser reformulada a qualquer momento, e as etapas, revistas, mas o que transmitimos de fundamental é a necessidade de sempre ter objetivos definidos", diz Connie.

☺ ☺ ☺

Pessoas bem-sucedidas gastam pelo menos quinze minutos todos os dias pensando sobre o que estão fazendo e o que podem fazer para melhorar suas vidas.

Sigmund, 1999

95

Não se acomode

Quantos de nós se acomodam em empregos insatisfatórios?

Tirando as horas de sono, você irá passar mais tempo trabalhando, entre as idades de 25 e 65 anos, do que fazendo qualquer outra coisa. Seu trabalho irá definir sua identidade, seu crescimento, seu nível de satisfação, suas possibilidades.

Não se conforme nunca com um trabalho, um casamento, com qualquer coisa que não lhe traga felicidade. Talvez seja preciso, temporariamente, viver uma experiência medíocre, mas não se acomode. Mantenha aceso o desejo de encontrar aquilo que lhe trará realização e nunca pare de pensar no que você deve fazer para amar o que faz.

☺ ☺ ☺

William Raspberry, colunista do *Washington Post,* tem um Prêmio Pulitzer no currículo. Ele ama seu trabalho e defende a tese de que o mundo deveria se organizar para que mais pessoas amassem os seus.

"Você precisa amar o que faz. Ame o máximo que puder. Não se acomode como analista de sistemas, diretor de uma escola ou vendedor de carros só porque o salário é decente e, afinal, 'é melhor do que ficar desempregado'."

William tem um teste simples para descobrir se alguém está na direção certa: "Imagine que o trabalho que você tem agora pague o suficiente apenas para sua sobrevivência. Você continuaria nele? Se não, comece a pensar em trocá-lo."

☺ ☺ ☺

Embora não desejem fazer isso, as pessoas costumam levar suas preocupações de trabalho para casa no final do expediente. Baixo nível de interesse profissional está associado ao baixo nível de prazer na vida em geral e a uma insatisfação ainda maior na vida familiar.

O'Brien, Martinez-Pons e Kopala, 1999

96

Qual é o sentido?

Se você pudesse escolher a coisa que mais quisesse obter no trabalho ou na sua vida, o que seria?

Apesar de muitos correrem atrás de dinheiro, prestígio e reconhecimento, a coisa mais importante que você pode conquistar é saber o sentido do que faz. Saber qual é o sentido de suas experiências empresta valor a cada dia e faz com que qualquer resultado positivo ou negativo tenha um significado.

☺ ☺ ☺

Barbara Miller é uma consultora que estuda o local de trabalho e a qualidade de vida dos trabalhadores em empresas de alta tecnologia.

"O mercado global está exigindo que as empresas funcionem 24 horas por dia, e isso resultou em mudanças tanto para o trabalho quanto para a vida dos empregados altamente especializados", explica Barbara.

Barbara alerta as empresas sobre o desgaste que elas impõem à família dos funcionários quando o dia de trabalho se estende excessivamente. Ela relata que muitas empresas falam sobre a importância do equilíbrio entre vida pessoal e profissional, mas não praticam esse conceito.

Barbara encontrou uma empresa na qual todos os engenheiros ficavam de plantão para o caso de um dos clientes ter uma emergência. "Eles não podiam relaxar, porque nunca sabiam se seriam chamados. Pedidos de demissão eram muito comuns, pois alguns engenheiros questionavam a perda da qualidade de vida. Aqueles que se acomodavam iam diminuindo a motivação e tornando-se menos eficientes."

Barbara recomendou que os engenheiros se reunissem para refletir sobre o que estava acontecendo e propor soluções. A principal constatação foi que o ritmo de trabalho exigido transformava-os quase em robôs, que cumpriam tarefas sem saber o sentido do que faziam. A partir daí, uma nova política foi criada. Na nova programação, os turnos de fins de semana são agendados voluntariamente, e aqueles que aceitam têm dias de folga durante a semana.

☺ ☺ ☺

Perceber que há um sentido na vida é oito vezes mais capaz de trazer satisfação do que ganhar um bom salário.

King e Napa, 1998

97

Respeite-se em primeiro lugar

Se você ficar dependendo da reação de outras pessoas, nunca vai se sentir bem-sucedido. Esforçar-se para impressionar seus pais, seu parceiro, seu colega de trabalho ou qualquer outra pessoa não lhe trará a realização desejada. Você não conseguirá responder às expectativas e esperanças de todo mundo e acabará frustrado por não receber a aprovação deles.

Se você se respeitar, vai se empenhar em descobrir o que quer e o que é capaz de fazer, independente de qualquer opinião ou expectativa. Assim, ficará muito mais fácil tolerar as críticas e exigências daqueles para quem nada é bom o suficiente.

☺ ☺ ☺

"É um círculo vicioso", avalia a educadora Sally Tucci. Todos os dias, para seu espanto inicial, ela assiste às crianças carentes competirem umas com as outras para saber quem aprende menos. "Em algum momento do caminho, elas erraram e passaram a ter medo de tentar. E, como desistiram de tentar, elas começaram a considerar a tentativa um fracasso, e o fracasso, um sucesso. Os alunos zombam de quem responde uma pergunta, de quem estuda à noite em casa, de quem pede uma explicação. A mensagem que transmitem é que, se você quiser pertencer ao grupo, é melhor não aprender."

Sally investe diariamente para mudar essas atitudes. "Eu digo a eles que se os amigos afirmassem que o alto fica embaixo e o baixo fica em cima, eles iriam acreditar? Você precisa ouvir o que você mesmo diz e fazer o que você mesmo quer. Você tem uma chance na vida de realizar alguma coisa que lhe traga felicidade, mas, se gastar o seu tempo ouvindo alguém que quer que você faça a coisa errada, perderá essa oportunidade."

Ela ataca o medo, mostrando que ele é o principal inimigo da autoconfiança. "Você tem de pensar nas coisas que pode fazer e repetir para si mesmo 'eu posso'. Se de fato quiser, tente, sem medo de errar. O erro nos ensina muito, e você vai se surpreender com as coisas que será capaz de realizar."

☺ ☺ ☺

Pesquisadores descobriram que uma visão otimista é mais do que apenas ver o lado positivo das coisas. Acreditar em si mesmo melhora a saúde, a motivação e aumenta a capacidade de realização em seis entre dez pessoas.

Schulman, 1999

98

Você encontrou a meta certa?

Para conquistar alguma coisa difícil, você vai precisar comprometer-se, concentrar-se e ter confiança. Vai precisar do estímulo que vem da possibilidade de obter um resultado significativo e de realizar-se plenamente.

Se seus objetivos não o estimulam, se você não se sente inspirado e encorajado para agir, então você não encontrou as metas certas.

☺ ☺ ☺

Lacey Benton administrou uma longa lista de pequenas empresas na área de Baltimore. Depois de algum tempo, ela percebeu que seu coração não estava no trabalho que realizava. "Eu desempenhava bem o trabalho e era reconhecida, mas comecei a questionar se era aquilo que eu queria fazer."

Jacey sempre gostou de trabalhar com jovens, mas não via como começar uma carreira nessa área. Até que um centro comunitário a convidou para supervisionar a negociação do aluguel de parte do prédio onde estavam instalados para a criação de um pequeno café. O dinheiro do aluguel iria ajudar o grupo a expandir seus programas beneficentes.

Ela então propôs algo completamente diferente. "Temos aqui na comunidade adolescentes à procura de algo para fazer. Por que não aproveitamos esse espaço para dar uma ocupação a eles? Esqueçam a idéia de alugar. Vou ajudar os nossos adolescentes a criar um café." Lacey propôs usar sua vasta experiência em gerenciar pequenos negócios para planejar a operação e supervisionar o trabalho dos jovens.

Ela reuniu um grupo de adolescentes, treinou-os, levando-os a visitar outros cafés e a ler sobre o assunto. A idéia de capacitar profissionalmente os jovens interessou e entusiasmou várias empresas, facilitando o levantamento de recursos para dar início ao negócio. Logo, o Youth Entrepeneur Café estava funcionando a todo vapor.

Lacey tornou-se uma grande amiga dos jovens com quem trabalha e lhes diz sempre: "A vida é uma sucessão de escolhas. Não podemos deixar que as coisas aconteçam à nossa revelia, é preciso tomar sempre a decisão do que é melhor para nós."

Segundo ela, quando o coração e a mente se concentram na mesma direção, "podemos fazer qualquer coisa. É só estarmos atentos e tomarmos as rédeas da situação".

☺ ☺ ☺

Quando gerentes no final da carreira discutiam seus relativos sucessos e seus momentos áureos de desempenho, mais da metade falou da importância de sua satisfação pessoal.

Thornton, Privette e Bundrick, 1999

99

Entre em ação!

Os tubarões têm que seguir em frente para sobreviver.

As pessoas têm que seguir em frente se quiserem que seus sonhos sobrevivam.

Você não precisa fazer tudo hoje, mas precisa fazer alguma coisa todos os dias.

☺ ☺ ☺

Michael Franklin certifica-se de que todas as encomendas solicitadas à sua empresa cheguem no tempo determinado. Ele é o vice-presidente de uns dos maiores serviços de entrega dos Estados Unidos.

Quando a empresa contratou uma consultoria para avaliar o clima no local de trabalho e as habilidades de liderança dos executivos, muitos ficaram céticos ou ofendidos. Mas Michael achou positivo. "Se existe alguma coisa que possa melhorar o meu desempenho, quero saber."

A consultoria reconheceu-o como um gerente dinâmico, motivador e persistente, mas sugeriu que melhorasse sua habilidade de comunicação com os empregados. Michael leu o relatório e passou a marcar reuniões com as pessoas de todos os níveis hierárquicos. "Aceitei o conselho e coloquei-o em prática. Acho que já consegui melhorar minha comunicação."

☺ ☺ ☺

As pessoas que não sentem que estão no caminho certo para conquistar suas metas tendem a desistir cinco vezes mais facilmente e a se sentir três vezes menos satisfeitas com suas vidas.

Elliot, 1999

100

Só você pode dizer se este é um mundo em que você vai ser bem-sucedido

Qual é a principal diferença entre as pessoas que acreditam que serão bem-sucedidas e as que não acreditam? Será que os confiantes vivem em um mundo onde recebem o apoio de todos e aqueles que não confiam em si mesmos, em um mundo hostil, onde é mais difícil ser bem-sucedido? Não.

A diferença não está no mundo em que vivem. A diferença está na forma como cada um vê o mundo.

As pessoas confiantes constroem para si uma realidade em que o sucesso é possível, pois prestam uma atenção especial naqueles que obtiveram sucesso e estudam cuidadosamente o caminho seguido para alcançá-lo. Por outro lado, as pessoas a quem falta confiança concentram-se naqueles que fracassaram e superdimensionam os obstáculos capazes de impedir a conquista.

É um pouco como duas pessoas andando juntas por uma rua movimentada, uma olhando para cima e a outra para baixo. A realidade daquela rua é a mesma, mas a visão de cada uma é muito diferente.

☺ ☺ ☺

O primeiro-ministro Winston Churchill, que liderou a Inglaterra durante a Segunda Guerra Mundial, é apontado por muitos especialistas como sendo o melhor exemplo de pessoa que viveu plenamente. Usando suas melhores habilidades e talentos, Churchill não apenas liderou o país durante um dos seus momentos mais difíceis, mas dedicou sua vida aos estudos, pintura, escrita e família.

No entanto, um ano após a assinatura do tratado de paz, Winston Churchill teve que sair do governo, derrotado nas eleições pelo voto popular. Ele deixou a função em estado de choque, humilhado e se sentindo um fracassado.

Pelos critérios normais, Winston Churchill não precisaria ter conquistado tantas coisas para se considerar bem-sucedido. Mas, infelizmente, ele usou um só critério para avaliar seu sucesso: a aprovação do povo através do voto. Se, apesar de tudo o que realizou, Churchill não se viu como um homem bem-sucedido, então nenhuma conquista seria suficiente para ele.

☺ ☺ ☺

Uma pesquisa realizada entre homens de classe média com formação e experiências similares descobriu que suas opiniões sobre a dificuldade de obter sucesso financeiro eram muito diferentes. Apesar de terem enfrentado desafios sociais e econômicos semelhantes, alguns viam o mundo fechado para eles, enquanto outros viam um mundo cheio de grandes oportunidades. Quanto mais otimista era a visão, maior a satisfação com o trabalho e a confiança no futuro sucesso.

Franklin e Mizell, 1995

Conheça outro título do autor

Os 100 Segredos das Pessoas Felizes
(descobertas simples e úteis dos estudos científicos sobre a felicidade)

Não existe a menor dúvida: ser feliz é o desejo de todo ser humano. Mas o que é ser feliz e como fazer para atingir a felicidade com que todos sonhamos?

Baseado nas pesquisas e estudos de cientistas junto a milhares de pessoas, o psicólogo e cientista social Dr. David Niven organizou uma lista dos cem segredos mais simples que são realmente capazes de tornar as pessoas felizes.

E como a leitura de um complicado tratado científico pode ser causa de infelicidade, esses segredos estão aqui colocados de forma interessante e com exemplos que vão nos fazer identificar as situações descritas e compreendê-las. Tudo para você descobrir o que pode fazer para aproveitar melhor a vida.

Informações sobre os próximos lançamentos

Para receber informações sobre os próximos lançamentos da Editora Sextante, queira entrar em contato com nossa Central de Atendimento, dando seu nome, endereço e telefone para:

Editora Sextante
Rua Voluntários da Pátria, 45 – Gr. 1404 – Botafogo
22270-000 – Rio de Janeiro – RJ
Tel.: (21) 2286-9944 – Fax: (21) 2286-9244
DDG: 0800-22-6306 (ligação gratuita)
E-mail: atendimento@esextante.com.br